朝日新書
Asahi Shinsho 926

訂正する力

東　浩紀

朝日新聞出版

はじめに

日本にいま必要なのは「訂正する力」です。

日本は魅力的な国です。けれどもさまざまな分野で行き詰まっています。政治は変わらず、経済は沈んだままです。

メディアは大胆な改革が必要だと叫びます。けれども実際にはなにも進みません。人々は不満を募らせています。

もう日本はだめなのでしょうか。ぼくはそうは思いません。ただ、そこで必要になるのは、トップダウンによる派手な改革ではなく、ひとりひとりがそれぞれの現場で現状を少しずつ変えていくような地道な努力だと思います。

そのような地道な努力にもやはり哲学が必要です。小さな変革を後押しするためには、いままでの蓄積を安易に否定するのではなく、むしろ過去を「再解釈」し、現在に生き返らせるような柔軟な思想が必要です。ぼくは本書でその思想について語っていきます。ものごとをまえに進めるために、現在と過去をつなぎなおす力。それが本書が言う「訂正する力」です。

このような主張に物足りなさを感じるひともいるかもしれません。日本はリセット願望が強い国です。明治維新と敗戦の二度にわたって国のかたちを大きく変え、急激な成長を成し遂げたという成功体験をもっています。

だからいまでも多くのひとが、長い停滞を突破するためには、ゼロからの再出発がいいと考えています。東日本大震災のあとには、これで日本社会はがらりと変わる、「災後」という新時代に入ると言われました。最近でも社会学者の宮台真司(みやだいしんじ)さんが「加速主義」なる言葉を紹介し、人気を博しています。「日本はいったんとことんだめになって、そこから再生すべきだ」という主張が、一部の若者に人気のようです。

けれども、それは単純な考えだと思います。そもそも国の成長は永遠に続くものではありません。あるていど豊かになったあとは、豊かさの「維持」を考えなければならない。そしてなにかを維持するとは、古くなっていくものを肯定的に語ることにほかなりません。それが成熟した国のありかたです。

これは個人の話に置き換えれば、老いを肯定するということでもあります。リセットしたいというのは、要はもういちど若くなりたいということです。この国の人々は年を重ねることについて肯定的に語る言葉をもっていません。だから老いについて単純で暴力的な語り口が横行しています。「延命治療をやめるべき」だとか「老人は集団自決するべき」だといった議論が、定期的に現れます。

世界的に人気があるサブカルチャーの分野でも、主人公は若者ばかりです。さまざまな挫折や失敗を経験し、もがき苦しみながら生きていこうとする中高年が描かれることはあまりありません。

しかしながら人間はだれもが老います。老いは避けられないのですから、否定しても意味がありません。肯定的に語るすべをもたなければなりません。

では、老いるとはなんでしょうか。それは、若いころの過ちを「訂正」し続けるということです。30歳、40歳になったら20歳のころと考えが違うのは当然だし、50歳、60歳になってもまた変わってくる。同じ自分を維持しながら、昔の過ちを少しずつ正していく。それが老いるということです。老いるとは変化することであり、訂正することなのです。

日本には、まさにこの変化＝訂正を嫌う文化があります。政治家は謝りません。官僚もまちがいを認めません。いちど決めた計画は変更しません。誤る（あやまる）と謝る（あやまる）はもともと同じ言葉です。いまの日本人は、誤りを認めないので謝ることもしないわけです。

とくにネットではこの傾向が顕著です。かつての自分の意見とわずかでも異なる意見を述べると、「以前の発言と矛盾する」と指摘され、集中砲火を浴びて炎上する。そういう事件が日常的に起きています。

2020年代に入り、2ちゃんねる創設者のひろゆきさんを中心にした「論破ブーム」が巻き起こり、その傾向がますます強くなりました。論破するには相手の発言の矛盾を突けばいい。過去と意見が変わっていれば、それだけで負け。そういう判断基準が若年世代を中心に広く受け入れられています。このような状況では、謝るどころか、議論を通じて意見を変えることすらできません。

政治的な議論も成立しません。政治とはそもそも絶対の正義を振りかざす論破のゲームではありません。あるべき政治は、右派と左派、保守派とリベラル派がたがいの立場を尊重し、議論を交わすことでおたがいの意見を少しずつ変えていく対話のプロセスのはずです。しかし、現状ではそんなことはできない。

とくに最近の左派の一部は頑(かたく)なです。彼らはどんな説明を聞かされても意見を変えません。むしろその頑なさが「ぶれない」として評価されている。そのため政府側も彼らをクレーマーとして扱い、真剣な議論を行わない。政権側も反政権側もおたがいが「相手は変わらない」と思い込んでいるため、議論が始まらないわけです。あるのはいつも同じ「反対してるぞ」アピールだけです。

議論が始まるためには、おたがいが変わる用意がなければなりません。ところがいまの日本では、その前提が壊れています。みな「議論しましょう」とは言うものの、自分自身が変わるつもりはなく、むしろ変わってはいけないと思っているのです。

そのような状況を根底から変える必要があります。そのための第一歩として必要なのが、まちがいを認めて改めるという「訂正する力」を取り戻すことです。


訂正する力は、「リセットする」ことと「ぶれない」ことのあいだでバランスを取る力でもあります。

第2章で、ウィトゲンシュタインという哲学者の議論を紹介します。そのときにもういちど説明しますが、人間のコミュニケーションには奇妙な性格があります。

たとえば子どもが遊んでいるとします。かくれんぼだったのが、いつのまにか鬼ごっこになっている。鬼ごっこだったのが、いつのまにか別の遊びになっている。そのようなことはよくあります。

そのとき、子どもたち自身は別の遊びになったと感じてはいないでしょう。ずっと同じように遊んでいると思っているはずです。このように、遊んでいるあいだにルールがだんだん付け加わっていったり、一部のルールが消えたりすることはよくある。どこからどこまでが「同じ遊び」でどこからが「違う遊び」なのか。そんなことは考えても意味がありません。

そして、じつはこれは、子どもの遊びだけでなく、人間のコミュニケーション一般にも言えることなのです。人間のコミュニケーションにおいては、ルールがたえず訂正され続けています。

それは狭い意味でのゲーム（スポーツ）の歴史を調べてもわかります。サッカーにせよ野球にせよ、誕生したときは現在のルールとは異なっていました。それが多数のプレイを蓄積していくなかで、観客が喜ぶ、選手が力を発揮しやすいなどさまざまな理由で「訂正」され、現在のかたちになっているわけです。ゲームが存続するかぎり、必ずルールは変わっていきます。というよりも、ゲームが続くとは、すなわちルールが訂正され続けるということなのです。

リセットすることもぶれないことも幼稚な発想です。日本ではそんな幼稚さばかりがもてはやされている。

けれども、ぼくたちはそろそろ成熟するべきです。そして社会の持続について考え始めるべきです。訂正する力は成熟する力のことでもあるのです。

本書は語り下ろしです。そのため話題が多岐にわたっています。時事に触れたかと思いきや、ぼくの専門である哲学の話もします。ぼく自身が経営している小さな会社のエピソードも出てきます。

新書といえば、テーマを絞り込み、専門家が有用な知識をコンパクトに伝えるものというイメージがあります。その点では本書は異例で、読者によっては驚かれるかもしれません。

けれどもぼくは、哲学とは「時事」と「理論」と「実存」の3つを兼ね備えて、はじめて魅力的になるものだと考えています。読者と共有する社会問題についてあるていどの指針を出し、背後にあるなにかしらの独自の理論を示し、そして自分自身もそれと整合性を取るように生きている、そういう多面性を抱えていることが大事だということです。

そういうタイプの知識人は、残念ながらめっきり減ってしまいました。いまは専門家の時代です。本書はそんな時代の常識に抗し、古い哲学のスタイルを思い出してもらうためにも書きました。そのために雑多な面をあえて残しています。訂正する力の話は、どこか遠い国から学者がもってきた新しい「理論」というわけではありません。ぼくがこの国で生きるなかで考えてきたことでもあります。

いまの3分類にあてはめるならば、本書の第1章は時事篇、第2章は理論篇、第3章は実存篇となっています。最後の第4章はいわば応用篇で、訂正する力を使って日本の思想や文化を批判的に継承し、戦後日本の自画像をどのようにアップデートすればよいのか、ぼくなりの提案を記しています。まだまだ粗削りなものですが、哲学の言葉を空理空論にとどめないために、あえて試みました。

日本には訂正する力が必要です。けれども日本にも、もともとその力は備わっていました。むしろ訂正が得意な国だった。

にもかかわらず、ぼくたちはそのことを忘れてしまった。そのためさまざまな問題をまえに進められなくなってしまった。だから、いまいちど訂正する力を蘇らせる必要がある。本書はそのような呼びかけの書物です。

なお、訂正に似た言葉に「修正」がありますが、本書では採用しませんでした。それは、修正という言葉を含むものとして「歴史修正主義」という悪名高い概念があり、それとの混同を避けたかったからです。訂正の思想と歴史修正主義の違いについては、本書のなかで説明していきたいと思います。

訂正する力　目次

第2章　「じつは……だった」のダイナミズム

第4章 「喧騒のある国」を取り戻す

第1章　なぜ「訂正する力」は必要か

ヨーロッパのしたたかさ

訂正するとは、一貫性をもちながら変わっていくことです。難しい話ではありません。ぼくたちはそんな訂正する力を日常的に使っているからです。

この点でうまいなと思うのは、ヨーロッパの人々です。彼らを観察していると、訂正する力の強さに舌を巻かざるをえません。

新型コロナウイルス禍を思い出してください。イギリス人の「訂正」にはすさまじいものがありました。大騒ぎしてロックダウンをしたと思いきや、事態があるていど収まると、われ先にマスクを外していく。「自分たちはもともとコロナなんて大したことないと気づいていた」と言わんばかりです。「いや、そうだったかな」と思わずにはいられないですが、彼らはあたかもそれが当然だったかのように振る舞います。

日本人からすると「ずるい」と感じるかもしれません。スポーツでもしばしばルールチェンジが問題になっています。

それでもヨーロッパの人々はルールを容赦なく変えてくる。政治でも同じです。たとえば気候変動。少しまえまでドイツは、「脱原発」や「二酸化炭素排出量の削減」を高らかに掲げていました。ところがウクライナで戦争が勃発しロシアからの天然ガスの輸入が途絶えると、「やはり原発と石炭火力も必要だ」と言い出す。

これまで観光業でさんざん稼いできたフランスも、最近はオーバーツーリズムを懸念し、「地元コミュニティと環境保護のために観光客数を抑制する」という新たな方針を打ち出しています。華麗な方向転換です。

ただ、ここで大事なのは、そのときに彼らが自分たちの行動や方針が一貫して見えるように一定の理屈を立てていることです。それはある意味でごまかしですが、そういった「ごまかしをすることで持続しつつ訂正していく」というのが、ヨーロッパ的な知性のありかたなのです。

ヨーロッパの強さは、この訂正する力の強さにあります。それはきわめて保守的でありながら同時に改革的な力でもあります。ルールチェンジを頻繁にすることによって、たえず自分たちに有利な状況をつくり出す。それなのに伝統を守っているふりもする。それはヨーロッパのずるさであると同時に賢さであり、したたかさなのです。

日本にも訂正する力がないわけではありません。

昔からよく指摘されているように、大陸の辺境に位置するこの国は舶来のものに目がありません。中国に接したら中国の文化を受け入れ、欧米がきたらこんどは欧米の文化を受け入れる。それは野放図なようでいて、じつは肝心なところはまったくと言っていいほど変えていない。

たとえば名前です。朝鮮半島やヴェトナムでは中国文明の輸入とともに命名も中国風に変えてしまいました。他方ぼくたちはいまだに古い名前を保持しています。

科挙も採用していません。日本語をローマ字化する運動も潰れました。なによりも天皇制が続いている。日本は、信念なくすべてを外国に合わせているように見えて、ひどく頑固で根底でずっと一貫している国でもある。つまり、改革に開かれているように見えてきわめて保守的な国でもあるわけです。

日本は日本でしたたかだったということです。ただ、ぼくたちはその先人たちの力を忘れ、うまく使えなくなっています。

「空気」は訂正できるか

どうすれば訂正する力を取り戻すことができるのでしょうか。

身近な例から考えてみましょう。現代日本で改革の障害となっているのは、つねに「空気」、つまり社会の無意識的なルールです。

この空気なるものは、みなが他人の目を気にするだけでなく、同時に気にしている他人もまた他人の目を気にしているという入れ子の構造をもっているので、とても厄介です。たとえば、コロナ禍が終わってもマスクをなかなか外せないという話題がありました。これは、単純に周りのひとから「マスクをしろ」という圧力をかけられ、怖いというだけの話ではありません。

もしかしたら、周りのひとも本音ではマスクを外したいのかもしれない。けれども、彼らが「他人がどう思っているかわからないから、まだ外すのは控えよう」と思っているかぎり、自分だけマスクを外すわけにはいかない。実際にはみながマスクを外したいと思っていたり、無意味だと感じていたりしたとしても、相互の監視が存在するためにだれもが社会の無意識的なルールにしたがってしまう。これが空気の問題です。

その結果、いつまで経ってもだれもマスクを外すことができない。と思いきや、ひとたび一部のひとがマスクを外し始めれば、こんどは逆に、花粉症などでマスクが必要なひとを含め、だれもが外さなければいけないような気持ちにされてしまう。その変化の切れ目がなんなのか、われわれはわからないし、またそれをコントロールすることもできない。

このような厄介な構造をもつ規範意識を、どのようにしたら「訂正」できるのでしょうか。

『「空気」の研究』という空気

空気については、評論家の山本七平（やまもとしちへい）による『「空気」の研究』がコロナ禍で再注目されました。1977年に刊行された本ですが、昔から日本人は空気に支配されているという文脈で引っ張り出されたわけです。

ところがこの本を読み返すと、じつは空気という言葉は、いまのような相互監視という意味では使われていません。

同書の中心になっているのは「臨在感的把握」と呼ばれる現象です。ふつうの学問的な言葉で言うと、ある種のフェティシズムです。日本人はアニミズムとフェティシズムが強いから、たとえばいちど「コロナが悪」ということになったらみながそれを呪物のように扱ってしまい、あまり議論ができなくなるということです。

「山本七平が」と喧伝(けんでん)されているわりに、山本七平は実際はその話をしていない。これは今回確認してみて虚を衝(つ)かれました。戯画的に言えば、『「空気」の研究』の内容さえも空気で決まってしまっている。

ちなみに、『「空気」の研究』はいま読むと問題含みな本でもあります。刊行された当時、日本ではイタイイタイ病や自動車の公害が社会問題になっていましたが、山本は懐疑的でした。窒素酸化物は有害か無害かわからないし、カドミウムも有害か無害かわからないのだと記しています。

当時「カドミウムは無害だ」と主張し、実際にカドミウム棒を舐めた学者がいたらしいのですが、その話題に紙面を割いています。『「空気」の研究』は古典ではありますが、気をつけて読まなければなりません。

空気批判が空気になる

とはいえ、山本の議論がなにも参考にならないわけではありません。

山本は「水」について興味深いことを述べています。盛り上がりに「水を差す」と言うときの「水」です。この国では、空気に水を差していたと思ったら、水を差すこと自体が空気になっていく。だからいつも空気と水が循環している――。そんな議論で彼の本は締めくくられています。

これはじつは当時の左翼に対する批判です。「かつては軍国主義の空気があった。左翼は戦後そこに水を差すようになったが、しばらくしたらこんどはその水が新しい空気になって、言論が左翼に支配されるようになった」という話です。

『「空気」の研究』は半世紀前の本ですが、これはいまでも通用する指摘です。メディアでちやほやされる知識人が現実にはぜんぜん力をもたない現状は、おそらくこの空気と水の逆説に関係しています。

空気に抵抗しなければいけない。ルールチェンジをしなければいけない。そう主張するひとは多い。けれども、この国では、そのような主張（水）がそのまま受け取られるのではなく、すぐに「そういう主張をするひとが現れた」という新たな空気の問題として理解されてしまう。つまり、「『ルールチェンジをしなければいけない』と発言するという新しいルールでゲームをするひと」という受け取りかたをされてしまう。

そうすると、こんどはその新たな問題提起に考えなしに追随するひとが現れてしまう。いくら水を差しても、すぐそれが新たな空気になってしまう構造があるわけです。ひらたく言えば、権力批判をしているひとこそ、空気を読むようになる構造がある。

日本では脱構築しか有効ではない

これは重要な指摘です。空気は空気批判もすぐに空気に変えてしまう。日本の閉塞感の原因はそこにある。

だとすれば、そういった空気＝ゲームを変えるためには、空気から素朴に脱出しようとするのではなく、同じ空気＝ゲームのなかにいるようでいながら、ちょっとずつ違うことをやることによって、いつのまにか本体の空気＝ゲーム自体のかたちが変わってしまうといった、アクロバティックなことをやるしかありません。

言い換えればこういうことです。空気が支配し、水もまたすぐ空気になる日本においては、よかれ悪しかれ、ものごとは「いつのまにか変わる」ことしかありえない。明示的に「変えましょう」と言っても、その水自体が新たな空気を生み出してしまうからです。だとすれば、その「いつのまにか」をどう演出するかが課題になる。その課題に答えるのが、この本の主題である訂正する力なのです。

つまり、空気が支配している国だからこそ、いつのまにかその空気が変わっているように状況をつくっていくことが大事になる。

じつはこれは日本だけの話でもありません。この状況認識はジャック・デリダというフランスの哲学者が唱えた「脱構築」という考えかたに似ています。

デリダは、表面上はすごく難しい哲学書を書いている哲学者です。だからふつうはこういう文脈では言及されません。

けれども彼はじつは、伝統的で保守的なルールに則(のっと)っているように見せかけつつ、それを深く追求していくことによって、ヨーロッパにおける哲学の型を根本的に変えてしまうといった試みをして、それが評価されているひとなのです。哲学のかたちを「いつのまにか」変えてしまうという試みを、哲学の方法として提示した。そのようなデリダ的、あるいは「脱構築」的な手法は、日本においても実践的に有効だと思います。

というよりも、日本では脱構築しか有効ではないと言うべきかもしれません。正面から既存のルールを批判しても力をもたない。ルールを訂正しながらも、その新しさを前面に押し出さず、「いや、むしろこっちこそ本当のルールだったんですよ」と主張し、現在の状況に対応しながら過去との一貫性も守る。そういった両面戦略が不可欠となります。

訂正しない猪瀬直樹氏

ところが、現在の日本人はこの訂正する力を失っている。東京五輪をめぐる混乱を思い出してみましょう。

五輪では夏の暑さが問題になっていました。東京都知事として五輪を招致し、多くの批判に晒(さら)された作家の猪瀬直樹(いのせなおき)さんは、五輪開催前にぼくと対談したときに「東京の夏は五輪に適している」と主張したことがあります。

どう考えても過酷な気候だと思うのですが、それでも「ほかの国も条件は同じだ」と譲らない。五輪はどんどん経費が嵩(かさ)み、それも問題になりましたが、猪瀬さんはこちらについてもツイッター（現X）で最後まで「コンパクト五輪のはずだった」と主張していました。これほどわかりやすく訂正する力が失われた例もありません。

猪瀬さんには、『昭和16年夏の敗戦』という名著があります。太平洋戦争開戦前、日本政府は「総力戦研究所」というシンクタンクにエリート官僚を集めて日米開戦の帰趨(きすう)をひそかにシミュレーションさせていた。答えは日本必敗だった。にもかかわらず、日本は戦争に突入してしまったという内容です。この歴史と東京五輪の強行は部分的に重なります。

猪瀬さんは、撤退を「転進」、全滅を「玉砕」と言い換えてごまかす、日本的な組織体質をよく知っていたはずです。それでもなぜ訂正できなかったのか。

それはおそらく、猪瀬さんが市民を信頼できなくなっていたからだと思います。猪瀬さんも東京の夏が暑いことはわかっていた。経費が想定以上に嵩んでいることも知っていた。ただ、それをひとことでも言ったら、批判勢力からなにを言われるかわからない。いまの日本では、あるていど影響力のある立場になってしまったら、危機管理上、訂正しない人間にならざるをえないわけです。

これは政治家だけの話ではありません。岸田文雄首相は「聞く力」を標榜(ひょうぼう)していますが、とてもその力が発揮されているとは思えない。でもそれは首相だけの話ではない。いまの日本人は全体的にその力がなくなっている。

「聞く力」は、相手の話を聞き自分の意見を変える力、つまり「訂正する力」でもあるはずです。けれども、訂正することができないので、聞くこともできない。

官僚型答弁が横行するのもこのことが理由です。官僚だけが悪いのではなく、日本社会全体で聞く力、意見を変える力がないのです。「最初に言ったことはまちがっていました」という説明ができない。そんなことをしたら徹底的に攻撃されて、自分たちの計画が潰されると、みなが警戒しあっている。

「訂正できない土壌」を変える

第3章でお話ししますが、ぼくはこの10年ほどトークイベントスペースを経営し、そこで聞き手をやり続けています。

そこでも同じことを感じることがあります。登壇者のなかに、事前に用意してきた話題しか話さないひとがいるのです。ぼくが司会として合いの手を挟んだり、観客から質問をもらったりしても、自分が想定した質問でないとごまかしたり答えなかったりする。それではわざわざ来てもらった意味がないのですが、すごく「見えない攻撃」を恐れている。その警戒心を解くのには苦労します。

つまり、いまの日本には訂正できない土壌がある。だからみな訂正する力を発揮できない。ここを変えねばなりません。

これは民主主義の話とも関わります。民主主義の基本は議論ですが（第4章で異なった民主主義観について話しますが、いまはこの理解で進めます）、議論を成立させるためには相手が意見を変える可能性をたがいに認めあわなくてはいけません。だれの意見も変わらない議論なんて、なんの意味もありません。

訂正できる土壌をつくることはとても大事です。「ひとの意見は変わるものだ。われわれも意見が変わるし、あなたがたも意見が変わる」という認識をみなで共有しなければなりません。これは教育にも関わります。小学校ぐらいから、話しあいの時間をつくり、「たしかにあなたの意見は正しいかも」と気づき自分の意見を変えていく、また他人の変化も認めあうという訓練を積み重ねるべきです。それは「論破」を目的としたディベートとは似て非なるものです。

東京五輪の予算は当初7000億円ぐらいでした。それが2倍近くに膨れ上がった。これについて、「想定の2倍になりました。たいへん申しわけないですが、途中で資材の高騰もありいろいろな問題があってこうなったんです」といった説明を率直に行える環境をつくらねばなりません。市民からすれば納得できない点はあるでしょう。でも説明されないよりはましです。「なるほど、そういうことなのか」といったんは説明を受け入れ、聞いてみる態度が必要です。

しかし、その信頼関係がつくれていない。そのため政治家も関係者も弱みが見せられず、訂正ができない。説明もできない。組織委員会を引き継いだ清算法人は、2023年の3月にうやむやのまま消滅してしまいました。

憲法改正をめぐる「訂正しない勢力」

以上は権力側の問題でしたが、「訂正しない勢力」は権力批判側にもいます。いわゆる左派リベラル勢力です。彼らはとにかく「絶対反対」「変わらない」「ぶれない」。日本共産党がかつて「ぶれない政党」をキャッチフレーズに掲げていました。しかし冷静に考えてみてほしいのですが、ぶれなくてどうするのでしょう。世の中はどんどん変わっているのだから、柔軟に対応してくれないと困ります。

憲法問題はその典型です。憲法の精神を守りたいのなら、現実の変化に応じて条文を修正するべきです。

現行憲法の第9条をめぐっては、「自衛隊は軍事力なのかどうか」といった神学的な議論が国民そっちのけで続いています。専門家はそれが大事だと主張しますが、ぼくにはそれこそがいちばん憲法の価値を毀損(きそん)していると思われてならない。

立憲主義とは、国民が憲法を使って国家を縛ることです。そのためには国民が憲法を理解できなくてはいけません。

ところがいまの護憲派の主張にしたがうと、日本国憲法については、ふつうに読んでふつうに社会に適用してはいけないことになる。ふつうに考えれば自衛隊は戦力です。9条の戦力放棄の規定と反しているのだから、自衛隊を解散するか憲法を変えるか、どっちかにしないといけないと考えるのがふつうです。それがおかしいと言われたら、ふつうの国民は憲法について語れなくなる。

皮肉なことに、9条についてはむしろ政府のほうが訂正する力を発揮しています。解釈改憲で集団的自衛権を認め、このままだと北朝鮮の基地にミサイルを打ち込むことも可能になるかもしれない。それが危険だと思うならば、リベラルのほうも訂正する力を発揮し、条文自体を変えてしっかりできることとできないことを規定したほうがいい。

ところがいまの左派はそういう主張ができない。「条文が変わっても同じ憲法の精神を守ることができる」という社会への信頼がないからです。護憲派の人々からすれば、条文を一字でも変えてしまったら右派に乗っ取られ、日本は別の国になってしまうとなる。その神経質な純粋主義が事態を膠着(こうちゃく)させています。

ふつうの日本語として読める憲法を

9条だけの話ではありません。第24条についても似たことが言えます。婚姻を「両性の合意のみに基いて成立」するものだと定めた条文です。

同性婚を認めるのであれば、「両性」を「2人」などに改正するべきです。それがふつうの日本語の感覚です。ところが護憲派は「両性という言葉は、男性と男性、女性と女性も意味しうる、だから同性婚は現行憲法でも認められる」と主張する。

本当にそうでしょうか。たとえば車の両輪と言ったとき、右の車輪ふたつを意味することは日常ではありえないと思います。憲法改正はしたくない、けれども同性婚は認めたいといった願いが、結果として憲法を「読めないもの」にしてしまっている。むろん、憲法改正はたいへんなので、とりあえずの戦略としてそういう解釈を打ち出すのはわかります。でもその場合でも改正を最終目的にすべきです。

岸田首相は2023年の2月、同性婚を認めると「社会が変わってしまう」と発言して非難されました。これに対して活動家のかたが「同性婚が認められてもなにも変わらない」と発言していました。

でもこの反論はおかしい。たしかに首相の「変わってしまう」という表現は否定的なニュアンスを含んでいた。それについて批判するのは当然ですが、「変わる」ことそのものはいいことなはずです。

ぼくたちは「変わる」ことを積極的に選んでいくべきです。現行憲法の制定時にはいまのような国際情勢も同性婚も想定されていなかった。だとすれば、憲法の精神を守りながら新しい状況に対応するのが、本当の意味での民主主義であり立憲主義ではないでしょうか。

批判を引き受ける力

訂正する力は、現状を守りながら、変えていく力のことです。だから最近話題になる「声を上げる」に近いところがあります。でも違うところもあります。

少数派であるとは、いまふつうに受け取られている価値観に違和感を抱くということです。だから「違う」と声を上げる。それに対して多数派は必ず「なぜそんなことを言うのか」と反応します。これは避けられません。

つまり、声を上げることは必然的に反発を伴うということです。むしろ反発がないと意味がない。ところが最近は、「声を上げると周りから変なひとだと言われる、それ自体が圧力だから、『変』と言われないようにしてほしい」という要求が上がるようになってきた。

こうなると話がこじれてきます。声を上げるというのは、ルールに対して否を突きつけるということです。その異議申し立てがうまくいき、世の中が変わるかどうかは、結果でしかわかりません。

異議申し立ては、その意味では賭けです。だからこそ価値があります。事前に「声を上げても歓迎されるような環境をつくってください」というのでは、おかしな話になってしまう。

この逆説はさきほどの「水」がすぐ「空気」になるという話と関連しています。いまの空気に水を差したい、でもそれは空気として歓迎されたい、というのでは有意義な異議申し立てになりません。日本の市民運動の弱点はここにあるように思います。

　訂正する力は、そのような「事前承認」は求めません。単に「このルールはおかしいから変えるべきだ、否、じつはもともとこう解釈できるものだったのだ」と行動で示し、そのあとで事後承諾を求める。それが訂正の行為です。だからそれは、ある観点では単なるルール違反です。

　けれどもその違反がすごく大事なのです。違反によって、ルールの弱点や不完全なところが見えてくることがあるからです。

　むろん、ルールに違反するということは「ルール違反だ」と非難されるということです。みんなから賛同されるわけでもないし、問題提起がうまくいかなければ犯罪になることもある。けれども、そのことによってルールが変わるかもしれない。訂正する力は、そういうリスクを取って行うことでもあります。

　言い換えれば、訂正する力は、「自分はこれで行く」「自分はこのルールをこう解釈する」と決断する力のことでもあります。そして批判を引き受ける力でもあるのです。

「声を上げること」を同調圧力にしない

残念ながら、いまの日本にはそのような決断をできるひとがあまりいません。たしかにツイッターを見ると社会に違和を唱えるひとは多い。

でも、ほとんどのひとが、たがいの顔色を見て「違和を唱えても大丈夫だよね」と保証を求めあっている。大丈夫だと保証されたら、それはもう本当の違和の表明ではありません。こういう環境がますます訂正する力を奪っています。

最近のジャニーズをめぐる騒動を見ても、そういう歪みを感じます。2023年の3月、国外のテレビ局が、ジャニーズ事務所創業者のジャニー喜多川氏についてドキュメンタリー番組を放映しました。内容は、同氏が所属タレントに性加害を行っていたと告発するもので、それ以降日本国内も少しずつ空気が変わり、いまではジャニーズ事務所への批判が主流になりました。

たいへんよいことですが、こんどは逆にジャニーズを批判しない関係者を袋叩きにするような風潮も出てきました。これはどうでしょうか。

ジャニー喜多川氏の行為は犯罪であり、事務所の対応も批判されるべきです。しかし他方で、同氏の行為は芸能界で広く知られていたとも言われます。つまり、かつては沈黙することがルールで、みなそれにしたがっていたわけです。ところがいまは糾弾することが新しいルールになったので、みなそれにしたがって糾弾し始めている。これでは空気の支配はなにも変わりません。

多様性の肯定は軋轢（あつれき）の肯定でもあります。多様なひとたちが声を上げれば、当然軋轢も生まれる。そこからこそ訂正する力も生まれてきます。

みなが声を上げるのはいいですが、それがだれにでも拍手され歓迎されるようになってしまっては、むしろ訂正する力が機能しなくなります。本当に大事なのは、自分と異なった意見をもつ人間を、すぐに理解し包摂しようとするのではなく、理解できないまま「放置」するある種の距離感なのです。その点でいまの日本社会は、まるで小学校の教室のように幼稚な空間になっています。

なぜリベラル派は縮小したのか

また別の例を挙げます。歴史社会学者の小熊英二さんに、２０１３年のはじめ、安倍長期政権を誕生させた国政選挙の直後に話をうかがったことがあります。このとき「今回の結果にはがっかりしていない」と言われたことに驚きました。

小熊さんはリベラル派の代表的な論客です。民主党政権がひっくり返されたことに衝撃を受けているのかと思ったら、そうではなかった。

冷静さの表れと捉えるひともいるかもしれません。でもぼくはそうは感じませんでした。むしろ訂正する力の機能不全の表れだと思いました。

むろん「単純な負けだと思わないことによって、リベラルが変わるんだ」という話だったらわかります。小熊さんもそのような意図でおっしゃったのかもしれません。

けれども現実にはそんな変化は起きなかった。むしろこの10年間、リベラル派は「自分たちは本当は勝っている」みたいな話ばかりし続けてきました。棄権がすべて野党に入っていれば勝っていた。共闘が実現していれば野党は勝っていた。あるいは、あるい

は、あるいは——。その結果、どんどん有権者から見放されています。いまリベラル派に求められているのは、敗北を敗北と受け止め、必要な方針転換をするしたたかさではないでしょうか。

このように記すと、「負けた選挙を勝ったと捉えるのも訂正する力の働きではないのか」と反論されるかもしれません。

その理解は違います。訂正する力は現実から目を逸らすために使ってはいけません。現実を「再解釈」するために使うべきなのです。

訂正する力とは現実を直視する力

目を逸らすことと「再解釈」することの違いは重要です。その違いがわからなくなると、訂正する力と歴史修正主義との違いもあいまいになってしまいます。訂正する力は、けっして、自分に都合よく現実を見る力のことではありません。むしろ現実を直視する力です。

その違いについては本書を読むことでおいおいわかってもらえるはずですが、ここでもつぎのようには言えます。ぼくはつねひごろ「ものごとは続くのが大事だ」と述べています。この「続く力」と「訂正する力」は同じものです。理由は単純で、ものごとは訂正しないと続かないからです。ぶれないだけでは潰れてしまう。

「はじめに」でも述べたように、ぼくはこの10年ほど小さい会社を経営しています。最初は出版社として起業したのですが、やっていることはいろいろ変わってきました。詳しくは第3章で述べますが、もう試行錯誤の連続です。

ただ商売がおもしろいところは、これをやると失敗、あれをやると成功という結果が、きちんとお金として戻ってくる。つまり、外部からのフィードバックがある。それが「現実がある」ということです。だからこちらも、現実に対応しながらも、同じ理想を守っているんだと「再解釈」しながらまえに進むことができる。

ところが左派にはこのフィードバックがない。ぶれないことだけが目的化し、選挙結果から目を逸らしている。

共産党はぶれないから支持を集めているという意見もあります。でも実際は共産党だって、『しんぶん赤旗』の部数は落ちているし、党員数も減っている。長期的には変わるしかない。それなのにフィードバックが機能していない。

共産党における訂正する力の欠如は、最近の除名問題でもあきらかです。古参党員でジャーナリストの松竹伸幸さんが、2023年のはじめに『シン・日本共産党宣言』という本で党首公選制の導入を訴えた。そうしたらたちまち除名されてしまった。党の綱領すら「訂正」できない。

さきほどの小熊さんの発言は10年前のものですが、いまに続く訂正する力の欠如を象徴するものだと感じます。

保守派も変わっていくべき

リベラル派の批判が続きましたが、訂正する力は保守派にも欠如しています。

祖国として日本を大切にするのはいいことです。しかし肝心の「日本的なもの」の内容は100年前、50年前といまとではかなり変わっています。その変化に対してあまりに頑なではないか。

たとえば移民、難民、外国人労働者の問題。2021年3月、名古屋出入国在留管理局に収容されていたスリランカ人女性のウィシュマ・サンダマリさんが、体調不良を訴えていたにもかかわらず、適切な治療を受けられず亡くなったという痛ましい事件がありました。あきらかな人権侵害ですが、保守派はあまりに冷淡です。心ない攻撃までありました。

入管は批判を受け止め改革されるべきです。ほかにも、日本は「技能実習制度」という名のもと、この30年間おもにアジア出身の外国人労働者を低賃金で使い潰してきました。ようやく制度の見なおしが始まっていますが、このような問題について保守派は「日本を守れ」としか言わない。これは思考停止です。

外国人労働者がいないと日本社会が回らないのはすでに現実です。東京で暮らしていると、ぼくが学生だった30年前とは、社会への外国人の入り込みかたがまったく違うと実感できます。外国籍だからといって、いくら長く住み、税金を納めても住民自治に参加できないのは正当なのか。それが「日本のやりかた」ということで、どこまで押し通せるのか。

外国人を入れたら日本固有の文化が失われてしまう、という反発があるのかもしれません。けれども、そもそもの「日本とはなにか」という感覚自体、どんどん変わっていくものです。その前提で保守派も変わっていくべきです。

たとえば、いまでは日本といえば「萌え」や「二次元」の国ということになっています。けれども、つい半世紀前にはこんなにアニメ的なキャラクターは溢れていませんでした。ぼくが学生のころも、「美少女絵」なんて街中ではめったに見かけなかった。いまはそれこそが日本的な風景の特徴で、アニメやゲームは江戸期から連続している日本文化の継承者のように見えています。

このような変化は悪いことではありません。むしろそれこそが「訂正する力」の効果だとも言える。

ぼくたちは、アニメやゲームが溢れている現在から遡行して、いわば日本文化を再発見している。そしてそれでいい。伝統を継承するうえでは、そういう訂正の感覚が大事です。いろいろと変わっていくけれど、肝心なところは守るのだと思っていればいいのです。

そのような柔軟性をもったほうが、結果として日本というアイデンティティをより強固なものにできると思います。

本当のクールジャパンとは

そもそもアニメやゲームの現場ではすでに多くの外国人が活躍しています。

日本で人気を博しているコンテンツのなかにも、じつは海外発のものがたくさんあります。いま流行しているスマホゲーム『原神（げんしん）』は、キャラクターのデザインが日本のものにきわめて近いので、中国ですら日本製だと誤解される事件が起きました。現実には中国の制作会社でつくられています。

いささかマイナーな話題ですが、2022年の11月に、大阪駅の構内に掲示された女性キャラクターのポスターが性的すぎると野党の政治家がツイッターに投稿し、炎上を引き起こした事件がありました。やり玉にあがったのは『雀魂（じゃんたま）』という麻雀ゲームの宣伝でした。

ポスター掲示の是非は複雑なので触れませんが、そこで興味深いのが、「日本のオタクがまた女性蔑視をしている」といった批判をしていたひとがいたことです。ところが現実には『雀魂』は中国のゲームでした。フェミニストが「いかにも日本のオタクっぽい」と思う表現も、いまや日本だけのものではない。

日本には外国の想像力がたくさん入ってきているし、逆に日本的な感性も外国にどんどん進出しています。「クールジャパン」はもはや死語になっていますが、こういう現象をすべて受け入れてこそ本当のクールジャパンでしょう。

海外で愛されるロボットアニメ

『超電磁マシーン ボルテスV』というアニメをご存じでしょうか。1977から78年にかけて放映されていたもので、ぼくも子どものころに見ていました。

子ども向けのアニメですが、なかなか複雑な物語です。鬼のような異星人が超技術とともにやってくる。彼らの星では、角がある人間が貴族で、角がない人間は平民として支配されている。地球人は角がなく支配される側なので、不満のある異星人とともに立ち上がる。

最近知ったのですが、この作品がじつはフィリピンで人気があるらしい。フィリピンでは長いあいだマルコス大統領の独裁が続いていたのですが、その転覆がこのアニメと重ねられ、国民的に見られていたらしいのです。その結果なんと、２０２３年の5月からは地上波で実写ドラマ化されている。

予告編だけ見ましたが、これがよくできています。フィリピン人は日本人より彫りが深い。それがアニメの世界観によく合っています。最新の技術を駆使してロボットの対決をやっていて、それも迫力がある。

日本の子ども向けアニメが半世紀近く経って注目され、外国でまったく異質な文脈のもと大人向けにリメイクされているかたちですが、こういう現象はとても興味深い。そういえば、サウジアラビアには『ＵＦＯロボ グレンダイザー』の巨大な像が立ちました。『グレンダイザー』は『ボルテスＶ』とほとんど同じ時期に放映されたロボットアニメです。

同国で行われている大規模なイベントの一角に「ジャパンアニメタウン」という日本文化エリアがあり、そこに建てられたようです。写真を検索すると驚きます。渋谷や浅草などのイメージがキッチュに再現されていて、漢字やひらがなの看板がたくさん並んでいる。そのなかに30メートルを超えるロボットが立っている。まるでメタバースに再現された日本です。

こういう現象を保守がどう捉えるかは、今後重要になってくると思います。これを単に「日本の魂が外国でも受け入れられた」では度量が狭い。いまや日本的な感性自体が海外の影響によって「訂正」されつつある。つまり日本そのものが変わりつつあるのであって、その変化を含めて新たな日本だと捉えてほしい。

サブカルチャーの純粋主義

日本の映像文化にはある種の純粋主義があると思うことがあります。けがれない、純真無垢なストーリーが好きすぎる。アニメの主人公は少年少女が多く、過去の失敗を引き受けながらもがき苦しむ中年は選ばれにくい。新海誠（しんかいまこと）さんの作品が典型です。彼はぼくと同世代ですが、ヒット作の主人公は10代です。

その点、ハリウッドは中年に優しい。マーベル・シネマティック・ユニバース（MCU）はフェイズ3までは中年男性ばかりが主人公でした。フェイズ4からジェンダーバランスは改善されましたが、いまだ年齢は高い。子ども向けの作品ですが、大人が主人公です。そしてたいていの場合、物語を通じて心の傷からの回復が描かれる。

この傾向は1990年代には始まっています。当時『アルマゲドン』や『ディープ・インパクト』といった災害ものがヒットしましたが、だいたい主人公は家庭が崩壊している。そして大きな危機に直面することで、家族の絆が回復する。この手法は日本でも有効だと思いますが、アニメで離婚問題を抱える中年の主人公というのはあまり聞きません。純粋な少年少女の物語しか描けないというのは、「訂正する力」の衰弱とも関係しているように思います。

第3章でもまた話題にしますが、いまの日本人はひとが自分の意見や人生を訂正することを嫌います。だから逆に、いちどレッテルが貼られると、そのレッテルでしか仕事ができなくなる。それ以外の可能性もあるはずなのに、レッテルが邪魔をして注目してもらえない。

老いることは訂正すること

最近、五ノ井里奈さんという元自衛官のかたが自衛官時代に受けた性暴力を告発するという事件がありました。そんな彼女があるインタビューで、被害者としてではなく、ひとりの人間として生きたいと述べています。裏返せば、なかなかそう見られないということです。このような風土は、人々をとても生きにくくします。

これはメディアの姿勢とも関係します。メディアはすぐにレッテルを貼ります。このひとは国際政治学者、このひとは社会学者、このひとはコロナの専門家などと括って、その役割だけを担わせようとする。

ミュージシャンが政治的な発言をすると「音楽に政治をもち込むな」と言われるのも同じことです。アイドルの恋愛禁止も同じ。あれは世界的に見てかなり異常なことです。でも日本では大きな支持を得てしまう。

学者は専門だけやっていればいい。ミュージシャンは音楽だけやっていればいい。アイドルはアイドルだけやっていればいい。けれども、本当はそういう純粋さだけでは人間は生きていけません。そもそも年齢を重ねればだれでも変化する。「訂正」する。純粋さを諦めて、変化を肯定することが大切です。

そういう意味では、訂正する力は「老いる力」でもあります。また「再出発する力」でもあります。

年老いた主人公がさまざまな挫折を経験しながらどんどん変わっていく。でもずっと同じ人間でもある。完全にリセットして「別人になりました」とはならない。そういう作品がもっと出てきていいのではないでしょうか。これは高齢社会への対応という意味でも大事なことです。

訂正する頑固親父

博物学者の荒俣宏さんに、福澤諭吉についてうかがったことがあります。荒俣さんが福澤諭吉を「頑固親父に徹していた」一方で、「どっちつかず」で「しばしば考えなおす」人物だと評していたのが印象的でした。

福澤というと「独立自尊」や「やせ我慢」を標榜し、一貫性を重んじるひとだったと思われています。ところがそれだけでもなかった。明治維新にコミットしているように見えて、倒幕派にも佐幕派にもつかない。戊辰戦争で上野で彰義隊が戦っていたときは、慶應義塾で洋書の講読をしていた。それぐらい政治と距離を取り、どちらにもつかないポジションを守っていた。

荒俣さんによれば、福澤は晩年「慶應義塾は潰れていい」と言い出して、周りのひとたちを大慌てさせたとのことです。独自の修身の教科書をつくり、教師を日本中に派遣した。慶應義塾の開明的な試みとは真逆です。

咸臨丸（かんりんまる）で亡くなったひとの墓参りもしていたといいます。西洋の学問をせっせと輸入していたのに、最後は日本的な道徳に戻っている。しかもその内容たるや、「家族仲良く、女性を大事に」といったじつに平凡なものでした。

この「頑固親父だけど考えなおす」は、まさに「訂正する力」が発揮されている生きかたのように思います。きっと福澤諭吉のなかでは、初期の『学問のすゝめ』も晩年の修身への回帰も、すべてが一貫していたに違いない。その一貫性がすぐには理解できないので、誤解を招く。このような福澤の人物像に注目が集まるといいと思います。明治の偉人たちというのは、みな大なり小なり、「訂正する頑固親父」だったのではないでしょうか。

ポリティカル・コレクティングと言うべき

ここまで読んできて、訂正する力とは、結局「なんでもあり」「結果オーライ」ということなのかと感じた読者もいるかもしれません。そうではありません。そもそも「正しさ」なる概念も、本来は訂正されていくものなのです。

ポリティカル・コレクトネス（ＰＣ）という言葉を最近よく耳にします。「政治的な正しさ」という意味で、ジェンダーに配慮して議員の比率を変えようとか、バリアフリーに配慮して建物の設計を変えようとか、そういう動きのことです。

それ自体はいいことですが、ポリティカル・コレクトネスという言葉はしばしば社会的攻撃の名目にも使われています。このひとは正しくない発言をした、だからみんなで批判しよう、仕事を奪おうというものです。そういう動きは「キャンセルカルチャー」と呼ばれたりします。

近年の有名な例は東京五輪の開会式です。ミュージシャンの小山田圭吾（おやまだけいご）さんは開会式で楽曲を担当する予定でしたが、学生時代のいじめについて語っていた１９９０年代なかばの雑誌記事が掘り返され、ネットで拡散されました。五輪の理念に反していると問題になり、直前で降板に追い込まれました。

ぼくはこのキャンセルそのものを否定するつもりはありません。小山田さんの雑誌内での発言はたしかにひどかった。

ただ、さきほどジャニーズ問題について述べたことと関係しますが、その批判が「空気」になってしまってはいけないと思います。あいつは正しくない、だからあいつを叩くのが正義だ、と思考停止に陥ってはだめなのです。

そもそも、いまはみな「正しさ」をあまりに静的かつ固定的に捉えていると思います。ポリティカル・コレクトネスのなかのコレクトネス（correctness）という言葉はコレクト（correct）という動詞の名詞形ですが、これは本来は動詞的に捉えたほうがよいはずです。コレクトは「校閲する」とか「まちがいを正す」とかを意味する動詞で、まさに本書の主題である「訂正」を意味する言葉です。

つまり、ポリティカル・コレクトネスの「コレクト」というのは、本当は、固定した正しさがあるというわけではなく、正しい方向にむかってつねに「訂正しよう」という動きのことだと思うのです。そういう意味では（英語の語感はよくわかりませんが）、ポリティカル・コレクトネスという名詞形で記すより、むしろポリティカル・コレクティング（政治的訂正行為）と動名詞で記すべきかもしれません。

訂正する力は記憶する力でもある

ポリティカル・コレクトネスとは、「昔の正しさはいまでは正しくない、だから訂正しよう」という反省のことです。

いまのこの正しさも、5年後にはまちがいになるかもしれないし、逆にいままちがっていることが正しいとなるかもしれない。そのような距離をもって考えることが大事です。現在の価値観だけを振りかざし、過去の発言や複雑な文脈をもった行為を一刀両断していく行為は、ポリティカル・コレクトネスの精神に反しています。

だれかの正しさに便乗し、答えが出たと安心してみんなで叩くというのは、むしろ本来の正しさと対極の態度なのです。

その点で、小山田さんの騒動はいやな後味を残すものでした。騒動を受けて「訂正」

するべきことは、日本社会のいじめへの鈍感さだったり、音楽ジャーナリズムの閉鎖性だったり、いろいろあったはずです。けれどもみな小山田さんを追い出したことで満足し、忘れてしまった。いまでは話題にもなりません。

この点では、訂正する力は「記憶する力」だとも言えます。訂正するためには、過去をしっかりと記憶していなければいけません。正義を振りかざし、大騒ぎして忘れるというのは、訂正の対極にある行為です。

ちなみに「訂正」と似た言葉に「修正」(revision)がありますが、「はじめに」でも記したように、本書では採用していません。その理由は、「歴史修正主義」(historical revisionism)という評判の悪い用語があるからです。それはいまでは、「アウシュビッツにはガス室はなかった」「従軍慰安婦はいなかった」といった、おもに保守側による歴史の捏造を意味する言葉として使われています。この文脈での「修正」は、現実から目を逸らし、記憶をなくしていく行為です。

訂正する力は歴史修正主義とは異なるものです。本書はけっして、過去を都合よく修正するのが大事だと主張する本ではありません。訂正する力は、過去を記憶し、訂正するために謝罪する力です。歴史修正主義は過去を忘却するので、訂正もしなければ謝罪もしません。この違いはしっかりと意識するようにしましょう。

論破力にどう対抗するか

ここまで、訂正する力とは、聞く力であり、持続する力であり、老いる力であり、記憶する力なのだといった話をしてきました。いまの日本では、そんな力の発揮が阻まれています。社会全体に信頼が失われ、みなが安直な「正しさ」に飛びついているからです。

その状況を象徴するのが「論破力」という言葉です。論破する力は、訂正する力と対極にあります。

論破力といえば、2ちゃんねる創設者のひろゆきさんです。彼は日本でいまもっとも影響力のある言論人のひとりですが、相手の矛盾を突くのがうまく、メディアで「論破王」として盛んにもてはやされています。

論破ブームにより、どんな議論でも「勝敗」で判断することが一般的になってしまいました。みな絶対に謝れなくなっているし、意見を譲って妥協することもできなくなっている。これは2010年代後半からSNSで顕著に見られるようになっていた傾向ですが、コロナ禍でのひろゆきさんの活躍によりネット外にも一気に広まりました。

論破力が基準の世界では、訂正する力は負けてしまいます。訂正した瞬間、相手から論破したと言われてしまうのですから。では、どうしたらよいでしょうか。

ひろゆきさん自身の言葉にヒントがあります。彼はベストセラーとなった『論破力』のなかで、討論には必ずジャッジをつけろと述べています。勝ち負けを判断する観客がいないとディベートが成立しないというわけです。

ぼくはひろゆきさんほど観客はもっていませんが、似たことを考えていました。ただしぼくが想定する観客は、勝ち負けを判断するというより、話の本題とは別の感想を抱いてしまう「いい加減な観客」です。

たとえば、「このひとの主張は弱い、議論には負けてる」と判断を下しつつも、「でも悪いやつじゃないな、話の続きを聞きたいな」と思ってしまうような観客です。そういう観客が多くいると、訂正する力が機能することがあります。話し手が意見を訂正したり、負けを認めたりしても、「それはそれ」で真意をつかんでくれるようになるからです。

そういう価値転倒は、ツイッターだと情報が少なすぎてあまり起きません。けれども動画では生じることがあります。ひろゆきさんも人気があるのは、じつは論理が強いからだけでなく、彼のしゃべりかたに特徴があって魅力的だからだと思います。人間はそういうところで動かされるものです。言葉だけを取り出して「このひとがこのひとを論破した」などと騒いでも、対話の本質をつかまえることはできません。

動画配信が可能にしたもの

どのような口調で、どういう顔でしゃべっているか。そのような付加情報を動画によって気軽に何万人もの人々に伝えることができるようになったのは、情報技術のおかげです。

昔からテレビはありました。けれどもテレビはあくまでも演出された空間でした。『朝まで生テレビ！』のような例外はありましたが、ふつうの討論番組はだいたい台本どおりの話をしているだけです。

報道番組や討論番組からは人間性が伝わってきません。逆にワイドショーは人間性は伝えているかもしれませんが、議論になっていません。内容がある議論をしつつ、人間性も伝わるような長時間の動画をだれもが安価に発信できるようになったことは、言論のありかたを変える革命になると思います。

訂正する力は身体と深く関係しています。そもそも、「いま言ったのはそういう意味ではなくて」という対話中の訂正が、なぜ受け入れられるのでしょうか。日常的にみな行っている行為ですが、考えてみればそれはすごいことです。訂正は文字だけでは実行しにくい。なぜならば、文字だけで「さっき言ったのはそういう意味ではなくて」といった自己否定を繰り返していたら、単に支離滅裂な文章になってしまうからです。

でも、ぼくたちは日常の会話ではそういう訂正を平気でなんどもやります。なぜそんなことが可能かというと、そもそもぼくたちはしゃべっているとき、じつは同じ言葉を同じ意味で使っているとはかぎらず、相手の顔や反応を見ながらどんどん意味を変えていっているからです。そしてその前提をたがいにわかっている。

だから、「前後の流れからある言葉を選んでしまっていたけれど、それはさっきいい言葉が思い浮かばなかっただけで、本当はこのように言ったほうがいいのだ」という訂正ができる。言葉の外部への信頼感があるからこそ、言葉を訂正することができるのです。

次章で説明するように、これを哲学的に理論化すると、ウィトゲンシュタインの言語ゲーム論やバフチンのポリフォニー論といったものと関係することになります。ですが、そんな理論を知らなくても、対話というのが「そういうもの」だというのはだれでも知っている。対話においては、しゃべっているあいだに「あれ、さっき言ったことが伝わっていないな」と思って「いや、さっきのはそういう意味じゃない」とどんどん言葉を重ねていくことができる。それが活き活きとした対話です。

文字だけの空間ではそれができません。少なくとも、とてもやりにくい。

だからSNSは本質的に対話に向きません。訂正する力にも向きません。そういう意味で、動画の誕生は大きい。日本の硬直した言論空間を打破するために、動画はいい手段になると思います。

科学は人間の営みのなかで例外的

もちろん、動画が普及すると、感情的な動員に弱くなるという否定的な側面も忘れてはなりません。

人間は動物です。声がいいとか仕草が愛らしいといった魅力にとても弱い。これは否定してもしかたがない。人間のコミュニケーションのベースには、まずはそのような「生理的な好悪の判断」がある。論理とかエビデンスとかいったものは、その上にかろうじて乗っかっているにすぎません。

そんな判断は非科学的だと感じるかもしれませんが、そもそも人間の営み全体からすれば科学のようなコミュニケーションがとても例外的なのです。

科学者の言葉は言わば修行僧の言葉です。人間の言葉から情緒的な部分を全部消し去って、実証と論理だけで価値を決めようとする。科学なるものはそういう約束を受け入れてはじめて成立する。それはそもそもが「非人間的」です。人類全体が科学者のようなコミュニケーションをすることはありえないし、科学者のほうも仕事以外ではふつうの人間のはずです。

ここで問題になるのが政治です。政治は科学ではありません。とても人間的なコミュニケーションです。

そして民主主義では投票が重要です。となると、動物としての人間にどうアプローチするかが大事になる。政策の是非以前に、「生理的な好悪」をいかに利用するかが肝になってくるわけです。もっとあけすけに言えば、有権者はイケメンや美女には弱い。それをどう利用するのかという話になってしまう。

人間の弱さを認識せよ

2023年の4月、兵庫県芦屋(あしや)市長選挙で26歳の青年、髙島崚輔(たかしまりょうすけ)さんが勝利し、広く注目を集めました。

一部で報道されましたが、勝利の背景には外見のコントロールがありました。髙島さんは有名な選挙プランナーのアドバイスを受けて、前髪を左右に分け、額を露出させることで成熟を演出したそうです。眼鏡も外し、イメージを大きく変えました。その戦略があたったわけです。

日本だけの話ではありません。翌5月に行われたタイの総選挙では、前進党という革新派の野党が躍進を遂げました。党首がどんなひとかと見ると、魅力的な若い男性です。香港の民主化運動（雨傘運動）で活躍した学生指導者の女性も容姿に恵まれていました。日本ではアイドル的に消費する論評まで出ていたほどです。動画の時代は、こういうルッキズムが前面に出てくる時代でもあります。

そういう時代にどう対応するか。人間はくだらない情報に弱いんだということを、つねに意識しておくことが大事だと思います。人間が外見に弱いのは変わらない。できるのは、「人間は外見に騙されやすい、気をつけろ」というメッセージをきちんと教えておくことです。これは小学校や中学校などで教えてもいい。

人間は弱い生き物です。感情で動かされ、判断をまちがう。エビデンスを積み上げ、理性的に議論すれば「正しい」結論に到達できるというのは幻想にすぎません。人間は信じたいものを信じる。動画とSNSの時代にはその傾向がますます強くなります。ポストトゥルースや陰謀論の問題です。

だからこそ訂正する力が必要なのです。人間は弱い。まちがえる。できるのはそのまちがいを正すことだけです。「あのひとはやっぱり外見だけだった、騙されていた」と反省することが大事であって、そこでうまく訂正できないと、どんどんポストトゥルースの深みに嵌(はま)っていきます。

ハッシュタグデモはなぜ安直か

さきほど動画に比べてツイッターは好ましくないと記しました。ツイッターの特徴は投稿できる文字数が少ないことにあります。これは情報の共有という点では有利です。でも訂正する力は阻んでしまいます。

ツイッターが現れた当初は、共有にこそ大きな可能性があると思われていました。リベラル派ジャーナリストの津田大介さんは、2012年に『動員の革命』という本でSNSの可能性を熱く論じています。その理想は現在のハッシュタグデモに引き継がれています。

けれども、ツイッターでの情報の共有は、文字数が少ないので複雑な情報を伝えることができないという弱点を抱えています。ただ気分を共有するだけ。だからヘイトスピーチや陰謀論を拡散するためにも使えます。

そのため2010年代も末になると、日本では、右派のヘイトスピーチに引きずられて、左派の投稿もどんどん下品で暴力的になっていきました。ツイッターを中心とするネット論壇はいまや悪口ばかりで機能していません。署名活動やクラウドファンディングは健在ですが、往時のような存在感はない。数が集まっても、みなその数があまり意味をもたないことを知ってしまっている。

このような結果になったのは、ツイッター上の政治運動に訂正する力が宿りにくいからだと考えられます。どういうことでしょうか。

たとえば署名活動を考えてみましょう。昔は人間が街中で物理的に署名を集めていました。署名をするときには、呼びかけ人の顔や服装を見ることになります。逆に呼びかける側も、署名者の顔や服装を観察するわけです。

むろん、そういう情報のほとんどは忘れ去られるものです。けれども、一部は心に響いたり記憶に残ったりする。そしてそのような経験が、運動がなにかしら障害にぶつかったときに意外なかたちで役立つことがある。「ああ、こういうひとたちが署名してくれるんだ」「こういう年齢層のひとたちなんだ」「こういう服装で、こういう話しかたなんだ」といった付加情報が、運動の方向性を訂正するにあたり、とても重要なものになることがあるわけです。

ネットの署名にはそういった付加情報がありません。自分たちの支持者がどういうひとなのか、顔が見えない。だから「じつは……だったんだ」という訂正ができないまま、薄っぺらい動員合戦になってしまう。

「じつは……だった」の気づきの重要性については、次章以降で詳しく語ります。

訂正には「外部」が必要

さらに抽象化してみましょう。いま語っているのは、じつは、訂正する力を十全に発揮するためには、訂正する対象とは別に、訂正行為の梃子(てこ)となる「外部」が必要になるという話でもあります。その外部が、歴史だったり、身体性だったり、いま述べた付加情報だったりするわけです。

それはまた文脈と言い換えることもできます。どんなメッセージにも、必ずそれを支える余剰部分＝外部がある。そしてコンテンツというのは、本来はその外部まで含めてコンテンツなのであって、そこを削ぎ落として「本体」だけを残そうとすると訂正する力を失って衰退してしまう。

現在は、そういう点でコンテンツの読みが衰弱しています。保守派からひとつ例を出しましょう。

江藤淳に『閉された言語空間』という1989年に刊行された本があります。敗戦後、アメリカが占領下の日本人に罪悪感を植えつけようとして、「ウォー・ギルト・インフォメーション・プログラム（WGIP）」なるプロパガンダを行ったという内容が書かれている評論です。現在では陰謀論の起源になった著作としてあまり評判がよくありません。

たしかにそうなのですが、そのような読みは文脈を軽視したものでもあります。江藤淳はアメリカに複雑な感情を抱いていました。その屈折は初期の『アメリカと私』にもうかがえ、戦後日本の文学史を考えるうえで重要なものです。『閉された言語空間』はそういう文脈のうえで書かれた著作であって、そもそも占領期の日本についての実証研究として読むべき本ではありません。

ネットは文脈を消してしまいます。時間も消してしまいます。すべての情報をフラットにつなげるのは、ネットのいいところでもあります。

けれど、そのような余剰の部分がないと読みが単純化してしまう。「このひとはこういう表現をしているけれど、本当に言いたかったことは別のことで、いまの時代に置き換えるとこういうことなんじゃないか」という読み替えができなくなってしまう。現代はそういう弊害も目立つ時代になっています。

訂正する力とは「読み替える力」のことです。メッセージやコンテンツの外部を想像する力です。それがいまはすごく弱くなっていて、過去の豊かな文化的な遺産を利用できなくなっている。

大事なのはメッセージ周りの冗長性

現代は「コスパ」「タイパ」を重視する時代です。メッセージやコンテンツは短く簡潔なものが好まれます。

人間関係も最低限でよいという考えが広がっています。コロナ禍では、仕事はすべてステイホームで、対面することなく行うのが先端的だという風潮も生まれました。ですから、本書の主張はすごく反時代的に聞こえるかもしれません。

けれども、さきほども触れたように、そのような「削ぎ落とし」は実は肝心のコンテンツをたいへん脆弱（ぜいじゃく）なものにするのです。コンテンツは、周りの無駄な情報と一緒に伝えないと本来の力を発揮できないものなのです。これは言説だけではなくて、映画や音楽のような文化的な体験全体にも言えることです。

たとえば、禅問答のような問いになりますが、ひとは「音楽を聴きたい」と感じるとき、本当はなにを聴きたいのでしょうか。むろん、音だけが聴きたいのだ、というストイックなひともいるでしょう。

けれども、多くのひとにとってはそうではない。彼らは必ずしも音だけを聴きたいわけではない。多くのひとにとっては、音楽を聴くということは、音楽に付随するすべての記憶や体験をセットで意味しているはずです。

コンテンツの価値とはなにか

たとえばライブに行くとします。そこには、チケットを取る、楽しみにしている友人と連絡を取りあう、当日会場まで移動する、踊る、叫ぶ、物販でグッズを買う、終わったあと食事をして感想を言いあう、といったさまざまな体験が付随します。

多くのひとは、それをセットでひとつの体験だと感じています。その全体が楽しいから「音楽を聴きたい」と思う。音だけを純粋に聴いても味気ない。映画にしてもスポーツにしても、エンタメとはそういう体験の総合演出があってはじめて価値が出るものです。

ところがいまの社会は、コンテンツ産業がたいへん栄えているように見えながら、文化消費のその構造には意外と鈍感になっているように思います。

現代社会では、サブスクの発達で、ひと昔前とは比較にならないほど大量の音楽を気軽に楽しむことができます。でも、それは本当に「音楽を聴きたい」という欲望に応えているのでしょうか。いまのプラットフォームは、そのような要望に対して、「なるほど、では月額1000円で1億曲聴けるのではどうでしょう」といった対応を行っています。それが求めていたことだったのでしょうか。

つまりは、データばかり溢れているけれど、意外と総合的な体験は貧しいということです。いまはコンテンツは量的に溢れているけれど、本当のところ人々には欲求不満が溜まっている時代なのかもしれません。

書籍も同じです。ぼくもいまはすっかり通販と電子書籍に頼っていますが、若いころは熱心に本屋や図書館に通ったものでした。本棚のあいだを歩き、見知らぬ本に出会うのが、なによりも楽しかった。

読書という行為も、本当はそういった体験とセットだったのです。読書はけっして孤独な行為ではない。本というコンテンツのデータを提供することと、「本を読む」という体験の提供は異なった行為です。

でもその違いに読者は気がつかない。本が読みたいと思って、たしかに本のデータは来たのだから、これでいいはずだと本人も思ってしまう。しかし実際はなにかが違うわけです。最近書店の減少が問題になっていますが、本当は書店はデータを提供する場所ではなく、体験を提供する場所だったのではないでしょうか。

いまはそういうすれ違いがいろいろなところで起きています。訂正する力の弱体化はそんなところからも生じています。音楽にしても本にしても、目的のデータを検索してダウンロードしているだけでは、「そうか、じつはぼくはこれが好きだったのか」という趣味の訂正が行われないからです。

本章のまとめ

本章の議論をまとめましょう。

訂正する力とは、過去との一貫性を主張しながら、実際には過去の解釈を変え、現実に合わせて変化する力のことです。それは、持続する力であり、聞く力であり、老いる力であり、記憶する力であり、読み替える力でもあります。

ヨーロッパは訂正する力を巧みに利用しています。他方でいまの日本はその力を十分に活用していません。その差異はコロナ禍であきらかになりました。

日本で訂正する力が機能しない理由のひとつは、リベラル派、保守派双方にいる「訂正しない勢力」の存在です。彼らは「ぶれない」ことをアイデンティティにしています。そのために議論が硬直し、社会の停滞を招いています。

ただしその欠陥は個人の資質に帰せられるべきものではありません。背景には、社会全体を規定している「訂正できない土壌」があります。いまの日本人は、対話において信頼関係を築く訓練を受けておらず、いたずらに意見を変えると攻撃の対象になるかもしれないという不安を強く抱えています。その状況は「論破力」のブームによってさらに悪化しています。

だからといって、まったく光明がないわけではありません。日本には本来、訂正する力の豊かな伝統がありました。いまは動画配信などの新たな伝達手段も生まれています。それらは、余剰の情報を提供することで、訂正する力を新たに強める可能性を秘めています。

次章では、そんな訂正する力の本質を哲学的に掘り下げていきたいと思います。

第2章　「じつは……だった」のダイナミズム

訂正は日常的にやっている

訂正は、だれもが日常的にやっている行為です。その意味に自覚的になり、現実の変革に活かそうというのが本書の提案です。

そもそも訂正とはなんでしょうか。結論から記すと、訂正の本質はある種の「メタ意識」にあると言うことができます。自分が無意識にやってしまったことに対して、「あれ、違うかな」と違和感をもったり、距離を感じたりするときに、訂正の契機が生まれます。そういう距離感がなければ、そもそも訂正の必要がありません。

ぼくたち人間は、多くのことを無意識にこなしています。水を飲むときにコップをもつ、家を出るときにドアに鍵をかける、電車に乗るときに改札でスマホをかざす……そういうときはふつうなにも考えていません。

では、どういうときに「考える」ようになるかというと、無意識にやっていたことがうまくいかなくなったときです。いつもあるはずの鍵がないとか、いつもあるはずのスマホがないとかいうことです。それは体の不調のせいかもしれないし、外界の状況が変わっているサインかもしれない。そのときに「ん、おかしいな」と感じ、外界と調整する必要が生まれる。

つまり行動を訂正する必要が生まれる。それが意識の出発点です。そういう意味では、意識するとはすでに訂正するということにほかなりません。

試行錯誤の価値

自分の行動を訂正して、外界に合わせていく。それが生きることの基本です。それは動物もやっていることですが、人間はその訂正の能力をとくに発達させたため、意識をもつようになったと考えられます。

ぼくは人類学や脳科学の専門家ではありません。だからあくまでも素人の考えとして聞いてほしいのですが、「いままではこう行動していればうまくいったけれども、状況が変わってうまくいかなくなった、それならばこうしてみればどうだろう」といった、訂正のシミュレーションが意識の起源なのではないでしょうか。そして、最初は意識しながらやっていく行為も、繰り返されて訂正が必要なくなると無意識のなかに沈んでいく。

　言葉についても同じことが言えます。「意識しないで話す」と言うと突飛に聞こえるかもしれませんが、ひとは仲間内ではほとんど無意識で言葉や口調を選んでいます。たとえば、リベラル派の仲間内だったら、あまり深く政策について考えなくても、憲法改正や防衛費増額に反対していればなんとかなるわけです。

　ところがそこに保守のひとが紛れ込むとそうはいかない。では日本の安全保障はどうするのですか、と正面切って尋ねられてしまいかねない。ここで「考える」ことが必要になります。そして「いまの言いかたでは伝わらないから、別の話しかたをしよう」と試行錯誤を行うことになる。

　前章で述べたように、日本ではそういう試行錯誤を嫌うひとがたくさんいます。誤りを認めたら負けだと思っているからです。けれどもそれはまちがっています。

　試行錯誤をすることは主張を曲げることとは違います。環境が変わったので、言いたいことがいままでの表現だと通じなくなった。だから、新しい環境でも通じるように表現を変えるというだけの話です。それが訂正する力です。

対話は終わらない

以上の簡単な説明でわかるとおり、訂正する力とは、そもそも生きることの原点にある力です。そして、あらゆるコミュニケーション、あらゆる対話の原点にある力でもあります。

ミハイル・バフチンというロシアの文学理論家がいます。『ドストエフスキーの詩学』という有名な本を書いているのですが、そこで対話が重要だと述べています。

ただ、それはふつうの対話ではありません。バフチンによる対話の定義がどういうものかというと、「いつでも相手の言葉に対して反論できる状況がある」ということです。バフチンの表現で言うと「最終的な言葉がない」。

つまり、だれかが「これが最後ですね。はい、結論」と言ったときに、必ず別のだれかが「いやいやいや」と言う。そしてまた話が始まる。そのようにしてどこまでも続いていくのが対話の本質であって、別の言いかたをすると、ずっと発言の訂正が続いていく。それが他者がいるということであり、対話ということなんだとバフチンは主張しているわけです。

これはとても重要な指摘だと思います。よくひとは、対話が必要だ、話しあってください と言います。でもそれはたいてい、なんらかの合意や結論に達するための手続きにすぎません。バフチンは、そういうものは対話ではないと言っている。

身体的なフィードバック

言葉を発するとき、ぼくたちの頭のなかには抽象的な概念が確固なものとしてあるわけではありません。Aさんのなかに概念があり、それがBさんに渡されて、Bさんがそれを理解するという過程ではないのです。

では対話で起こっていることはなにかというと、むしろ一緒に共通の語彙をつくっていく作業に近い。言葉を交わすというゲームを遊びながら、同時に言葉を使うルールを一緒につくっていくような行為なわけです。

言葉の意味は事前に確定していると思うかもしれません。でも意外とそうでもないのです。たとえ意味が確定していてもニュアンスが異なることがある。

たとえばさきほどの例だと、リベラル派は軍の存在について当然のように否定的に語る。けれども保守派はそうではない。ニュアンスが違うわけです。

そのとき、自分はこういう言葉を使った、そうしたら向こうは予想とは異なる反応を返してきた、このままだと対話が成立しないから言葉を変える。そうするとと話がさきに進んでゲームが成立する。そういうことを繰り返していくわけです。その調整は終わることがない。それがバフチンが言っていることです。

ぼくは音楽は詳しくないのですが、それはジャズなどのセッションに似ているのではないかと思います。他人の演奏をリアルタイムで感じ取り、それに合わせて自分の演奏を調整し変化させていく。

そういう身体的なフィードバックを抽象化したものが、ここでいう訂正する力にほかなりません。

クリプキの「クワス算」

もうひとつ紹介したいのが、ソール・クリプキというアメリカの哲学者が『ウィトゲンシュタインのパラドックス』という本で展開した議論です。ウィトゲンシュタインというのも哲学者の名前です。彼についてはあとで触れます。

クリプキの議論はつぎのようなものです。ふたりのひとが一緒に足し算をやっているとします。1＋1は2だね、2＋2は4だね、とひとつひとつ答えを確認して話を進めている。

そして足し算が68＋57に到達したとします。答えはむろん125です。Aさんは125と答えます。ところがBさんは5だと言う。

当然Aさんは「なんで5なんだよ」と言うでしょう。それに対してBさんがつぎのように答えたとします。「いやいや、5でいいんだよ。というのも、じつはぼくたちがずっとやってきたのは、足し算（プラス算）ではなく『クワス算』という特殊な演算だったんだ。それは足す数の片方が56になるまでは足し算と同じ答えを出すんだけど、両方が57以上になると答えが全部5になるんだ。いままでずっと足し算をやってきたと思ってきた、きみがかんちがいをしているんだよ」と。

ここで68＋57＝5はただの例で、ほかの数字の組みあわせでもかまいません。どれほど多くの足し算をやってきていても、これまで使ってこなかった数字の組みあわせは絶対に存在する。だからBさんみたいな主張はいつでも可能です。

また、そもそも足し算でなくても似た例をつくることは可能です。問題の要点は、複数の人間がひとつのゲームに参加し、あるところまではなにも問題が起こらずルールも共有されていると思っていたにもかかわらず、突然片方が「おまえの理解は違っていた」と言い出す、その事態をどう理解するかということです。

むろん、常識で考えれば、クワス算をもち出したBさんの言い分は完全な言いがかりであり屁理屈です。なに言ってんだとつまみ出されるのがオチです。

ところがクリプキによれば、学問的に厳密に考えると、そのような屁理屈を言い負かすことは絶対にできない。どういうふうに反論したとしても、似たような屁理屈で言い返されてしまうのです。このあたりはじつにおもしろい議論なので、興味があるひとはぜひクリプキの本を読んでみてください。

クレーマーは排除できない

日常の例で解釈するならば、この議論は、言うなれば、ぼくたちはクレーマーを完全には撃退できないという話だと理解すればよいでしょう。

いくらルールを厳密に定めたとしても、あるとき突然変なやつがやってきて、「おまえはこのゲームについてまったく理解してなかったんだ、本当のルールはこっちなんだ」と言いがかりをつけられる。そんな可能性はけっして排除できない。それがクリプキが証明したことです。

だから、クレーマーへの対処はつねに考えておかなければいけない。そのとき対処には2種類あります。ひとつは「ではきみ、出禁ね」とゲームのプレイから排除すること。たいていはそうなります。

でも違うケースもあります。「なるほど。きみはルールをそう解釈していたんだね。そういうひとがいるんだったら、では新たな解釈で行こうか」とルールを拡張したり、訂正したりすることもあるわけです。さすがに足し算ではルールを変更するわけにはいきませんが、そういうことがあるからこそゲームは豊かになります。じつは自然科学においてさえ、そのようなルールの変更はめずらしいことではありません。

ここでクリプキの哲学はバフチンの対話論とつながります。そして訂正する力の本質とも関わってきます。

バフチンは、対話は終わらないと言いました。クリプキは、どんなルールを設定してもいちゃもんはつけられると指摘しました。

これは言い換えれば、人間のコミュニケーションは本質的に「開放的」だということです。

ぼくたちの社会は、どんなに厳密にルールを定めても、必ずそのルールを変なふうに解釈して変なことをやる人間が出てくる、そういう性質をもっています。社会を存続させようとするならば、そういう変人が現れてきたときに、なんらかのかたちでそれに対処しながらつぎに進むしかない。だから訂正する力が必要になります。

裏返すと、これはルールにはつねに穴があるということでもあります。「ルールを守らないひとがいて困る」という話ではありません。じつは人間は、ルールを守っていても、あるいは守っているふりをしても、なんでも自由にできてしまうのです。ルールはいくらでも多様に解釈可能だからです。それがクリプキが証明したことです。

民主主義とはハッキング対応

これは政治にも関わる話です。時事問題で考えてみます。

暴露系ユーチューバーの東谷義和（ひがしたによしかず）（ガーシー）さんは、2022年7月、NHK党から立候補して参議院議員に当選しました。にもかかわらず、滞在先のドバイから帰国せず、議場に姿を見せなかった。2023年に入って参議院が東谷さんを除名し、その後脅迫などの容疑で逮捕されていまに至ります。彼の行動に正当性があるのかどうか、半年ほど日本のメディアは大騒ぎでした。

国外滞在のまま当選し、国会議員になったあとも帰国しない。こういうケースをいままでの法律は想定していませんでした。このようなルール破り、あるいは「ハッキング」に対してどのように対処するか。これはすごく大切な問題です。

というのも、東谷さんのようなケースは今後も出てくると考えられるからです。選挙制度にはさまざまな穴があります。それを私利私欲のために利用するひとは、これからのSNS時代どんどん出てくるでしょう。

そこで「ガーシーの行為は民主主義の精神に反する」と叫んでもあまり意味がありません。そういうひとが現れることも含めて民主主義だからです。

民主主義においては、ルールは国民、つまりゲームの参加者自身が定めることになっています。だからあらゆる可能性を潰すルールをつくることはできません。また、どんなルールも「ハッキング」されると考えなければいけません。社会を守るためには、東谷さんのような「ハッカー」「クレーマー」に個別に対処し、ルールを訂正していく柔軟性が求められます。今回の件については、第二の東谷さんが現れないように速やかに法整備を進めるべきでしょう。

言い換えれば、民主主義とは、本質的にクレーム対応やハッキング対応の思想なのです。そういう本質は、政治思想を学ぶよりも、むしろバフチンやクリプキのような言語哲学を学ぶことで理解できます。

リベラル派はよく「本当の民主主義」といった言いかたをします。けれども、本当の民主主義なんてありません。民主主義の本質は「みんなでルールをつくる」ということにあります。「正しさ」もみんなで決めるものです。だから、どんなルールをつくってもそれを悪用する人間は必ず出てくるし、既存の民主主義の常識を破る人間は必ず現れる。そういう構造になっているのです。

完璧に正しい市民を育て、完璧に正しい法制度をつくり、完璧に法が守られる社会をつくろうという発想には意味がありません。むしろ、ルールが破られたとき、それにどう対処するかが民主主義の見せどころです。この点において、訂正する力とは民主主義の力のことなのだとも言えます。

テロは容認しない

2022年7月の安倍元首相銃撃事件にも触れておきましょう。

最初に確認しておきますが、ぼくは山上徹也被告にまったく同情を感じません。共感を表明している言論人も理解できません。あのようなテロを許してはなりません。銃を自作して元首相を暗殺しているのです。減刑運動など論外です。

その前提のうえで話を進めれば、たしかにテロで世の中が変わることはあります。今回の銃撃事件もあるていど社会を変えたことでしょう。そこでは訂正する力が発揮されています。それに第1章では、異議申し立てはときに犯罪になる、だからこそ力になるとも記しました。だから、本書の議論をテロ容認だと受け取るひともいるかもしれません。

けれどもその理解はまちがいです。テロは認めてはいけない。しかし、いったんテロが起こってしまったら、その新たな現実に対応して社会を訂正する必要がある。これはまったく両立する話だ、というのが本書の主張なのです。

どういうことでしょうか。さきほどのクリプキの議論を思い出してください。どんなルールを定めても、変なふうに解釈して突飛な行動を取る人間が現れる。それがクリプキがあきらかにしたことでした。

そのとき社会の側の対応には2種類あります。ひとつはその人物を追い出すこと。もうひとつはルールを変更してその人物を受け入れることです。

しかし、そのいずれを選ぶにせよ、ルールの運用については訂正が入らざるをえないはずです。たとえルール自体は変えないにしても、突飛なクレーマーが現れ問題が起こってしまったら、事件が繰り返されないように運用は変えざるをえない。むろん、いくらそんなことをやっても新たなクレーマーが現れる可能性は消えないというのがクリプキの教えですが、それでもなんらかの対処はするはずです。

テロ対策と訂正の哲学は両立する

つまり、クレーマーを追い出すということと、クレーマーの出現を受けてルールを訂正することは両立するのです。同じように、山上被告を厳罰に処すことと、テロを受けて社会を変えることは両立します。

その点について、銃撃事件以降の日本の世論は歪んでいたと思います。保守派は「山上は許せない」「テロの意味など考える必要はない」の大合唱で、他方でリベラル派のなかには、テロの背景に思いを馳せるあまりに、「銃撃は世なおしとして機能した」「テロが成功してよかった」と犯罪を肯定する人々まで出現してしまった。両方とも単純すぎます。

訂正する力は、外界の変化に応じて、自分のかたちを変えていく力のことです。テロで新しい状況が生まれたら、社会のほうも変わるしかない。それはテロの正当性を認めたことにはなりません。

テロは分の悪い賭けです。テロは必ず処罰される。そしてテロで社会が変わるかどうかは、結局のところ結果論でしかわからない。

実際、2023年4月に起きた岸田首相への爆発物投擲事件は、驚くほどすぐ忘れられてしまいました。山上被告が一部でヒーローになったからといって、似たことをやればヒーローになれるわけではない。

山上被告だって完全に黙殺される可能性もあった。大きな反響を巻き起こしたのは、結果でしかありません。ただ、その結果は結果として受け止める必要がある。そう割り切ればいいだけの話です。

ウィトゲンシュタインの「言語ゲーム論」

少し話が逸れました。訂正する力を哲学的に考えるためもうひとつ紹介したいのが、

「はじめに」でも少し触れたウィトゲンシュタインの言語ゲーム論です。

ルートヴィヒ・ウィトゲンシュタインは、オーストリア出身の哲学者で、初期のころにとても論理的な著作を書いた天才的な人物です。それが20代の終わりに書いた『論理哲学論考』という本ですが、そのあとは「もうこれで自分の哲学は終わった」と言い、小学校の先生になって哲学の道から離れてしまった。

ところが、やがてかつての自分の哲学では不十分だと考えるようになりました。そしてふたたび哲学的な文章を書くようになったのですが、本にまとめることもなく、1951年に亡くなってしまった。それを弟子が集めて出版したもののひとつが『哲学探究』という本で、そこに記されている理論が言語ゲーム論です。

言語ゲーム論は、一般に「ゲーム」と言われるものとは、少し異なった意味でゲームという言葉を使っています。そこで言われているゲーム（遊び）とは、人間の言語的なコミュニケーションの全体を覆う概念です。

そこではつねにルールが書き換わっています。しかもプレイヤーがルールが変わっていることに気がつかない。ウィトゲンシュタインは、言語というのはそういうゲームなのではないかと主張したのです。

ルールがいつのまにか置き換わる

ふしぎな主張に聞こえるかもしれませんが、突飛な話ではありません。たとえば子どもの遊びを考えるとわかります。「はじめに」でも出した例ですが、繰り返しておきます。

子どもが集まっている。だれかが走り出す。いつのまにか鬼ごっこが始まっている。と思ったらかくれんぼになっている。と思ったらまたルールが変わってケイドロになり、いつのまにか新しい子どもも交ざっている……。こういうのはよく見られる光景です。そこではあきらかに遊びの内容が変わっています。でも子どもはだれもが変わったと感じていない。ずっと同じ遊びをしていると思っている。ウィトゲンシュタインはそういう状況こそをゲームの基本だと考えたわけです。

みながずっと同じゲームをやっていると思っているのに、じつは少しずつルールが置き換わって違うゲームになっている。これは言語だけでなくて、社会のさまざまな事象にあてはまります。

たとえば、ぼくたちはずっと同じ日本という国に住んでいると感じている。現実には、100年前の日本といまの日本は法律も慣習もかなり違います。昭和と令和でもずいぶん違います。でも同じ日本だと言えば同じ日本だと言える。国家とか企業とかブランドとかの一貫性というのは、それくらいにあいまいなものです。

そもそも人間自身もそういう存在です。子どもが成長して大人になっていく。同じ自分と言えば同じ自分だけど、かなりのところが違う。そういう現象をいかに捉えるかというときに、ウィトゲンシュタインの言語ゲーム論は有効です。

当事者にはアイデンティティはつくれない

さて、そんな言語ゲーム論が重要なのは——これはウィトゲンシュタイン自身の主張というよりぼくの解釈がかなり入っているのですが——、ルールが書き換わるためには「観客」が必要だという結論が導かれるところです。

AさんとBさんがゲームに参加している。Aさんがあるプレイをする。Bさんが別のプレイで返す。Aさんはそれはルール違反だと言う。Bさんはルールのうちだと答える。両者の解釈が衝突する。

そういったとき、ぼくたちはどうするでしょうか。ふつうは観客かだれか第三者的に判断するひとがいて、「Aさんの解釈のほうがいままでと一貫性があるのでは」「Bさんでは」と議論し、運用が新しく定まることになるはずです。つまり、ルールの解釈はプレイヤー自身が決定できないのです。

これはある意味でパラドックスです。ゲームの本質を定めているのは、じつはプレイヤーではなく観客や審判だということになるからです。けれども、これもよく考えると納得できます。そもそも、ウィトゲンシュタインが強調していたように、プレイヤー自身は自分がどんなゲームをプレイしているかがわかりません。だからこそ解釈が衝突する。ではそこで「同じゲーム」という一貫性を保証できるのはだれかというと、ゲームには参加していない第三者しかいないのです。当事者にはアイデンティティはつくれないわけです。

これもまた、いわゆるゲームだけでなく、広く社会的な事象にあてはまる話です。

たとえば、さきほども例に挙げた「日本」というアイデンティティ。日本の実体はどんどん変わっていきます。だからそのなかにいるぼくたち日本人——ここでは国籍としての日本人ではなく日本の住民のことだと考えてください——は、じつは「なにが日本的か」を決めることができません。日本人は当事者で、そして当事者はみな勝手に自分のなかの日本像をもっているものだからです。実際、保守派の日本観とリベラル派の日本観、あるいは伝統芸能の継承者の日本観とアニメオタクの日本観では、内実は大きく異なることでしょう。

それゆえ、じつは日本のアイデンティティを決めることができるのは、第三者の観客や審判にあたる人々でしかないのです。具体的には、観光客や外国人労働者、あるいは日本発のコンテンツの消費者といった人々です。前章で保守派にもう少し柔軟になってほしいと記したのは、このような理論的背景によるものです。

集団（ゲーム）のアイデンティティは、構成員である当事者（プレイヤー）と、それを外から見ている観客というふたつの要素でつくられます。むろんプレイヤーこそがゲームの本体です。しかし、だからこそ、彼らはゲームの一貫性をつくり出すことができない。ゲームの一貫性は、プレイヤーのプレイを「外から」解釈し、過去の記憶と照合し、ルールを訂正し続ける観客によって生み出されるのです。

固有名の謎

もう少しだけ哲学の話をします。いま述べた「ゲームの一貫性は訂正する力で生み出される」という事象ですが、これは固有名の話だと捉えると理解しやすくなります。

じつは固有名というのは、学問的にたいへん厄介な性格をもっています。ふつうは言葉の意味は定義で決まると考えられています。少なくとも、多くのひとがそう思っています。だから辞書などもあるわけです。

ところが固有名には定義がありません。定義という考えかたが成立しないのです。たとえば「ソクラテス」という固有名を考えてみます。

ソクラテスの定義はなにか。男性で、ギリシア人で、哲学者で、本を書いていないひとで、プラトンの師匠で、最後死刑になって……といろいろ属性を並べていけば、それが定義になると思うかもしれません。

ところがそうではないのです。たとえば、ほとんどありえないことですが、今後考古学の研究が進んで、プラトンの師匠で最後死刑になって、いままでソクラテスという名で呼ばれていた哲学者が、じつは女性だったと判明したとしましょう。ソクラテスが男性だと定義されているのだとすれば、これは単純に「ソクラテスはいなかった」という発見になるはずです。定義を満たす存在がいなくなったのですから。

けれども、ぼくたちはそう考えません。「そうか、ソクラテスはじつは女性だったのか」と思うわけです。

これはあたりまえのようですが、かなりアクロバティックな論理操作です。それは定義を遡行的に書き換えるということだからです。

ぼくたちはずっと「ソクラテスは男性だ」と思って「ソクラテス」という言葉を使っていた。それなのに、新しい発見があった瞬間、「彼は女性だったのか。とすると話が変わってくるな」と瞬時に判断し、いままでのソクラテスのイメージを修正して、新しいイメージと整合性を取ってしまう。現在の新たな定義によって、過去の定義を組み替え、新たな一貫性をつくり上げてしまうわけです。

人間にはそういう能力があります。それが訂正する力です。この能力があるからこそ、ぼくたちは、古くから親しんでいるものについて新しい発見をすることができる。それは過去を書き換える能力とも言えます。

「じつは……だった」の力

この「じつは……だった」の働きは、人間と人間社会を理解するうえで決定的に重要なものです。

別の角度から説明しましょう。最近は人工知能（AI）の話題が盛んです。その世界に「チューリングテスト」という有名な思考実験があります。アラン・チューリングという数学者が1950年代に考えたものです。

AIと人間を用意します。どっちがどっちかわからないようにしたうえで、多数の被験者に両方と話してもらいます。そして、どちらがAIでどちらが人間かを判断してもらいます（本当はもう少し込み入っているのですが、ここでは簡略化します）。

その回答が1対1ぐらいの比率になったならば、どちらがAIでどちらが人間か区別がつかないということだから、そのときにはＡＩは実質的に人間だと見なしてよい。このようなテストをチューリングテストと言います。つまり、人間として通用するしゃべりかたをするのなら、それは人間と見なそうという発想です。

このテストはいっけん合理的なように思えます。けれどもそこには弱点がある。人間には「じつは……だった」の発見があるからです。問題のありかはつぎのようなケースを考えるとわかります。

たとえばあなたが、画面上のだれかとずっと話していて、愛しあっていると信じていたとします。相手は恋人のように接してくれたし、すごく幸せだった。

ところがその相手があるとき、じつはＡＩだったと知らされたとします。もしくは、ＡＩではなかったとしても、雇われていた役者だったとする。そのときあなたははたして、「なるほどそうか。でも対話しているあいだは恋人と変わらなかったし、愛を感じることもできた。実質的には恋人だった。楽しませてくれてありがとう」となるでしょうか。

絶対にならないですよね。ほとんどのひとは「騙された」と思うはずです。「すべて嘘だったんだ」と絶望したり怒ったりする。ということは、チューリングテストを突破するだけではだめなわけです。さらにもう一歩、「じつは……だった」のテストを乗り越えるなにかが必要なのです。

人間は「じつは……だった」の発見に囲まれて生きている。新しい発見によって過去の経験の意味ががらりと置き換わることがある。ぼくはこれを「結婚詐欺問題」と呼んでいます。

訂正は人生の転機で必要になる

人間は「じつは……だった」の発見によって、過去をつねにダイナミックに書き換えて生きています。よく生きるためには、この書き換えをうまく使うことが大事です。それが訂正する力ということです。

もちろん「じつは……だった」は万能ではありません。その力を野放図に使うと、過去を都合よく書き換える場当たり的な人間になってしまいます。歴史修正主義の問題です。

とはいえ、それは人生の転機においては必要になる力です。長く続けてきた仕事を辞める、長いあいだ連れ添ってきたひとと別れる、そういうときに、多くのひとが、いままではまちがっていた、これからは新しい人生を送るんだと考えます。リセットの考えかたです。

けれども、いままでの仕事はたしかに苦しかった、いままでのひととは性格が合わなかった、でもそれは「じつは」こういう解釈ができて、その解釈をすると未来ともつながっている、だから過去と切れるのはむしろ人生を続けるためなんだ、と考えたほうが前向きになれると思います。それが訂正の考えかたです。

いまはそんな訂正する力をネガティブな方向で使っているひとが多い。「じつはずっと騙されていた」「じつはずっと不幸だった」「じつはずっと被害者だった」という「発見」はネットに溢(あふ)れています。

しかし、同じ力はポジティブにも使えるはずです。訂正する力を人生に応用する方法については、あらためて第3章で話します。

リベラル派は新しい歴史を語るべきだ

「じつは……だった」の発想は共同体の物語にも応用できます。

いま日本は危機を迎えています。急速に進む少子化、深刻な国際情勢、経済的な凋落、低迷するジェンダー指数やエネルギー問題、頭の痛いことが山積みです。

そこでどう舵を切るか。過去はまちがっていた、昭和の日本とは手を切るというのもひとつの方法です。多くのひと、とくにリベラル派はそういうリセットを望んでいるように見えます。

けれども、そこでも訂正の考えかたを取ったほうがいいのではないでしょうか。具体的には、今後の日本を見据えたうえで、未来とつながるようなかたちで「じつは日本はこういう国だった」といった物語をつくるべきだということです。

これは歴史修正主義を推進しろということではありません。歴史とは、過去の事実を組みあわせ、物語になってはじめて成立するものです。エビデンスに反しなくても、複数の物語がありえます。

そのような作業が必要なのは、じつはいまは保守派よりもリベラル派のほうです。保守派はもともと物語をもっている。リベラル派は独自の歴史観に乏しい。

たとえばリベラル派には、自民党の支持母体ということもあり、神道を警戒するひとが多くいます。たしかに戦前の国家神道には大きな問題があった。しかし、神道そのものについて言えば、これは日本の土着宗教、というよりも文化習慣と不可分なものであって、その価値を否定して政治的な影響力をもつのは難しい。それならば逆に、「じつは神道にはこのような歴史がある、それは保守派が想定するよりもはるかにリベラルで、私たちの未来に続いている」ぐらいの物語をつくってみたらいいのではないか。

日本のリベラル派は戦後80年弱の歴史しか参照できず、その点でたいへん弱い。アメリカだと、共和党も民主党も独立宣言やゲティスバーグ演説に戻る。左右問わず国家の歴史が利用可能なリソースになっています。

日本でも同じように歴史に接するべきです。左右ともに歴史を参照して、はじめてバランスが取れる。別に天照大神（あまてらすおおみかみ）や神武（じんむ）天皇に遡れとは言いません。それでもいろいろな歴史が語れると思います。

前進のためには復古しかない

「じつは……だった」という訂正の精神が、本質的に保守主義に近いものであることはたしかです。過去との連続性を大切にするからです。

そもそも、過去をすべてリセットし新しく社会をつくろうというのは、フランス革命や共産主義などの左派の発想です。その点で、訂正する力の導入をリベラル派に勧めても、なかなか受け入れがたいだろうとは思います。

ただ、結局のところ、そういうリセットの試みは歴史的に見て失敗に終わっているのです。フランス革命はすべてをリセットした。宗教を排し、暦を廃し、新しい理想を打ち立てた。それが偉大だということになっていますが、実際は共和政はあっというまに崩壊し、ナポレオンの短い帝政を経たうえで王政が戻ってしまった。ハンナ・アーレントのように、そのような限界をきちんと見据えた思想家もいます。

もっとわかりやすいのがソ連の失敗です。ロシア革命のリセットがいかに無効だったか、いまのロシアを見るとよくわかります。

あれだけ長いあいだ共産主義体制が続いていたのに、それが崩壊したらあっというまにロシアの伝統的な価値観や習慣が戻ってしまった。ロシア正教も力を回復して、スターリンによって爆破された救世主ハリストス大聖堂は再建された。プーチンの支配がかつてのロシア帝国のツァーリを思わせるのは、偶然ではありません。

つまりは、そもそもソ連時代においても、じつはなにもリセットされていなかったのです。共産主義は無宗教を標榜(ひょうぼう)しましたが、モスクワにあるレーニン廟などは宗教施設そのものです。レーニンの遺体を防腐処理して永久保存しているわけですが、背景には正教の「聖者の遺体は腐らない」という考えがある。革命以前の宗教的な、あるいは民族的な想像力がちゃっかり回帰していた。

特定の土地で営々と続いてきた文化や慣習は、リセットしようとしてもなかなかリセットできるものではありません。いくらイデオロギーで表面だけ洗脳しても、家族形態や食習慣や住居構造はなかなか変わらない。そのため、肝心なところはもとに戻ってくる。

だから訂正の発想が必要なのです。ぼくたちにできるのはリセットではなく改良しかない。しかも改良といっても、改良主義という言葉で想像されるような上から目線の合理性の押しつけではなく、「じつは……だった」という過去の再発見とセットになった漸進的な改良しかない。「じつはあなたたちは昔からこうだったんですよ」という言いかたをしながら、少しずつ内容を変えていくやりかたしかない。

逆説的な表現になりますが、前進のためには復古しかない。「じつは……だった」というクッションがないと、改良は社会のなかに根づかない。

それは、いままであるゲームで遊んでいた子どもたちに、まったく新しいゲームに移れと命じても移ってくれないのと同じことです。新しいゲームを導入したければ、子どもたちを遊ばせながらだましだましルールを変えていくしかない。新しいゲームは、古いゲームを訂正することでしか始まらないのです。

訂正する力とは文系的な力

社会はリセットできない。人間は合理的には動かない。だから過去の記憶を訂正しながら、だましだまし改良していくしかない。それが本書の基本的な立場です。

このような発想は「非科学的」に見えるかもしれません。実際、訂正する力の話はとても文系的な話でもあります。

ある理系のかたと話したとき、ベストセラーになった斎藤幸平さんの『人新世の「資本論」』が理解できないと言われたことがありました。主張以前に、なんでいまさらマルクスを読む必要があるのかわからないと言うのです。

本書の読者のみなさんにも、似た疑問を抱いたことがあるひとは多いのではないかと思います。実際、文系の学者は、過去の著作を引っ張り出し、新たな視点から解釈して読みなおすといったことばかりやっている。理系ではそんなことはしません。重力を学ぶためにニュートンを読みなおす、なんてことはないわけです。

なんで文系はそんなことをやっているのでしょうか。それは文系の学問が基本的に「じつは……だった」の学問だからです。

そもそも文系の学問の対象は、存在するようでいて存在しないものです。たとえば善とか美とか真とか言っても、そういう物体がどこかに存在しているわけではない。言葉のなかにしか存在しません。

だから文系の学問は、理系のように「言葉と対象が一致すれば真実」「予測がうまくいけば真実」といった基準で学問を進めることができません。

ではどうするかといえば、そこで基準になるのが「じつは……だった」の論理なのです。プラトンは真理という概念についてこう語った。カントはこう語った。ハイデガーはこう語った。まずはそういう歴史がある。

そのいずれが正しいかについては、そもそも真実という観念自体が言葉のなかにしかない以上、理系的な手法で探求しても意味がありません。できるのは、そういう過去の歴史を踏まえたうえで、いまの社会状況に照らし、真理という概念をあらためて使うとすればこういう再解釈が有効なのではないか、という「訂正」の提案でしかない。そうやって未来に進みます。

つまり、文系の知とは、本質的に「訂正の知」なのです。だからぼくたちは、21世紀になっても「プラトンはじつは……と言っていた」「マルクスはじつは……と言っていた」といった表現をするのですね。

ChatGPTには訂正ができない？

最近は文系学部不要論が盛んですが、このように考えると、文系的な知――より正確に言えば人文学的な知――にも存在意義が見えてくるはずです。

最近、ChatGPTのような生成ＡＩが話題になっています。なにか質問を入力すると、まるで人間のように自然な言語でそれっぽい答えを返してくれる。いろいろな議論がありますが、このような技術の出現が意味しているのは、要は人間の言語は意識がなくとも構成できるということです。

この章のはじめに述べたように、ぼくたちは日常では自動機械のように言葉を発している。この言葉のつぎにはあの言葉を発しておけばいいだろう、という連想の連鎖で会話を展開している。たいていはそれで問題が起きない。つまり、ぼくたちのコミュニケーションはそもそもChatGPTとあまり変わらない。だからＡＩで置き換えることができてしまう。

では、人間が人間であるゆえんはどこにあるかというと、それはそんな無意識の連鎖に対する「メタ意識」にあります。つまり、「あれ、違ったかな」という訂正こそが人間の人間性を支えている。人間は、訂正する力をもっているので、いままで長いあいだ使われていた言葉を、その記憶を継承したまま違う意味の言葉に変えることができる。それは、ここまで述べてきたように「言葉の外」がないと不可能な行為です。ChatGPTには言葉の世界しかないので、訂正ができません。

人間は、言葉のなかだけではなく、言葉の外にも世界をもつ生物です。それゆえ、ふたつの世界の関係を調整するため、たえず言葉を訂正することを求められる。

理系の知は、「言葉の外の世界」を予測するために発達したものなので、「言葉の世界」と「言葉の外の世界」が個別の命題単位で一致することを求める。

他方で文系の知は、基本的には「言葉の世界」にしか関わらず、理系のような命題単位での外部との一致を必要としない。けれども、全体として「言葉の外の世界」とずれてくると言葉の使用そのものが意味をなくし、単なる言葉遊びになってしまうので、中心をなす重要な概念についてはときおり訂正を必要とする。そんなふうに考えればよいと思います。

反証可能性と訂正可能性

もう少し学問的に表現するならば、自然科学と人文学の違いは反証可能性と訂正可能性の違いだと言うことができます。

反証可能性というのは、カール・ポパーという哲学者によって100年ほどまえに提唱された概念です。これはとてもおもしろい理論で、ひとことで言うと、自然科学においては絶対に正しい理論などありえないという考えかたです。

自然科学の理論は具体的な予測を伴います。素朴な例で言えば、ある重さのものをある速度である角度で投げると何メートル飛ぶとか、そういうものです。予測があたれば、理論は正しいということになります。

けれども、一回のテストがうまくいっても、条件を変えた別のテストがうまくいくとはかぎりません。いつかまちがいが証明されるかもしれない。だから、自然科学の理論はつねに「反証される可能性」に晒（さら）されていて、どんな理論でも厳密には「反証がなされるまでは暫定的に正しい」と言うことしかできない。これが反証可能性の考えかたです。

ちなみにポパーは、ある命題が科学的なものかどうかは、むしろそのような「反証される可能性」の有無で決まると考えていました。この世界には、個別のテストが不可能で、したがって反証も不可能な命題がありますが、それらは科学の範囲に入らない。たとえば「神はいる」といった命題は、正しいかもしれないし誤っているかもしれないけれど、そもそもテストができず、したがって反証もできないので、真偽以前に科学的な主張だと考えることができない。ポパーはそのような基準で、科学と非科学を分けたわけです。

この反証可能性の考えかたは、本書のテーマである訂正可能性と似たところがありつつ、大事なところで大きく違います。

自然科学の世界では、いちど反証された理論は打ち捨てられてしまいます。だから学生が学ぶときには最新の教科書だけが必要で、過去の著作は不要なわけです。「いろいろな学者が試行錯誤をしてきたけど、いまのところもっともうまく自然を説明できる理論はこれです。これを勉強してください」となる。

ところが人文学ではそうはいきません。学生もまずは過去を学ぶところから入らなければならない。それは人文学が訂正の学問だからです。哲学にも打ち捨てられ忘れられた理論がたくさんあります。でもそれを完全に忘れるわけにはいかない。いつ「じつは……だった」の論理で復活するかわからないからです。ここが、理系と文系ではまったく違うところです。

サンクコストを保存する

リセットか訂正か。反証可能性か訂正可能性か。理系か文系か。この対立はつぎのように表現することもできます。

経済学には「サンクコスト」という概念があります。すでに投資したものの回収ができなくなった費用、つまり取り返しのつかないコストのことを指します。

経済的な合理性に照らすと、サンクコストは無視するのがいちばんです。過去は忘れ、これからの可能性だけを考えるべきだからです（この点では経済学は文系よりも理系に近い学問です）。

けれども、現実にはひとはなかなかサンクコストを無視できません。ここまで犠牲を払ってしまった以上、将来の見通しが悪くてもとことん突き進むべきだという発想になりがちです。ギャンブルやビジネスだけの話ではありません。たとえば泥沼の戦争に突入してしまい、サンクコストに足を引っ張られて撤退の機会を見失うといったことはよくあります。戦前の日本がいい例です。

ぼくもそのような判断は愚かだと考えます。けれども同時に、人間社会はそのような愚かさを必要としているようにも思っています。なぜならば、その愚かさがないと、人間社会には記憶がなくなってしまうからです。

たとえば最近、経済学者の成田悠輔さんの「高齢者は集団自決したほうがよい」という過去の発言が発掘され、社会的な批判が集まるという事件がありました。冷たいとか非人間的だとかいろいろな論評がありましたが、ぼくはあの発言は、まさに経済学者らしい合理的なものだという印象を受けました。

ゼロベースでいまの日本の状況を見るならば、これからさき働いてくれる若いひとを優遇すべきで、治療費が嵩むだけの高齢者には退場してもらったほうがよいというのは、当然出てくる発想です。まさにサンクコストの切り捨てです。

けれども、では人間はそういう合理性で動くかといえば、まったく動かない。その点で成田さんの発言は非現実的で単純だとも思いました。

実際には人間は過去を忘れません。サンクコストも切り捨てません。無駄でも高齢者を大切にします。

そこになんの必然性があるのでしょうか。ぼくはそれを問うのが文系の学問で、その答えが訂正する力だと考えています。

理系の世界には現在の理論しかありません。過去の理論は必要ありません。同じように経済学の世界には未来の利益しかありません。過去のサンクコストは切り捨てるべき対象です。

けれども人文学の世界ではそう考えません。未来の可能性は、過去の訂正によってこそ切り開かれると考えます。だから、できるだけ多くの過去の可能性を蓄積しておくことが、未来を豊かにすることだと考えるのです。たとえば図書館はまさにそういう発想でつくられています。いま必要とされる本だけを集めていたのでは、まともな図書館になりません。

だからぼくは、文系の学問はこれからも必要とされ続けると思います。人間が人間であり、過去を記憶する存在であるかぎり、理系の発想だけで社会が覆われることはありえないからです。最近は文系不要論が盛んですが、そこをしっかりと訴えればいいのだと思います。

シンギュラリティは神秘思想である

ここまで、バフチン、クリプキ、ウィトゲンシュタイン、ポパーといった思想家の名前を出しながら、「訂正する力」の哲学的な本質について考えてきました。訂正する力が人間社会の本質に根ざすものであり、失ってはいけないものであることがわかっていただけたと思います。

そんな人間社会はどれほど続くのでしょう。最近では、人工知能の発達で数十年後には人間社会は劇的に変わる、哲学も芸術もビジネスもすべてが変わると主張するひとが増えています。そういうひとからすると、本書の主張は賞味期限が短いものに見えるかもしれません。

けれども、ぼくはその見通しはまちがいではないかと思います。というのも、人工知能がどれだけ発達しても、人間のほうはあまり変わらないからです。

なぜそんなことが言えるのか。たとえば近年、盛んに議論されている「シンギュラリティ」という概念があります。人工知能が人間の知能を超え、世界が劇的に変わる時代の到来を表す言葉です。

けれども、この言葉を提唱したレイ・カーツワイルという未来学者の本を読むと、表面的に新しいアイデアに見えるものの、実際にはかなり古臭いアイデアの組みあわせで書かれたものであることがわかります。

欧米の思想には「ユダヤ・キリスト教的終末論」というものが深く入り込んでいます。ひとことで言えばいつか神が来て世界が終わるという思想ですが、これは手を替え品を替え近代でも生き残っています。

そのひとつに、19世紀のロシアで生まれた「宇宙主義」に起源をもち、テイヤール・ド・シャルダンやマーシャル・マクルーハンなどを通過してIT産業の揺籃であった1

970年代のカリフォルニアにも入り込んだ、一種の神秘主義の流れがあります。カーツワイルはまさにその継承者です。だから、神＝人工知能の時代が来て、ひとはみな救われるという話になるのです。つまり、人間の時代が終わるという思想そのものが、とても人間臭いものなのです。

むろん、これから人工知能はどんどん発達するでしょう。けれどもそれによって人間の社会がどこまで変わるかは未知数です。

人工知能が現れさえすれば人間の歴史が終わるという主張には、あきらかに一定の思想的なバイアスが入り込んでいます。だからあまりまじめに取る必要はありません。それはぼくのような人文系の人間からすれば自明で、逆にエンジニアやビジネスのひとがわからないのが不思議です。

ちなみに『ホモ・デウス』を書いた歴史学者、ユヴァル・ノア・ハラリにも同じような傾向があります。彼はイスラエル人であり、もっとダイレクトにユダヤ教の影響があるのかもしれません。

人間の生きかたは変わらない

誤解してほしくないのですが、ぼくは、技術的な意味でのシンギュラリティ、つまり人工知能が人間の知能の能力を超えるときは来ると信じています。いま人間がやっていることは、ほとんど人工知能でできるようになるでしょう。

けれどもぼくは、それが人間の生きかたを劇的に変えるとは思わないのです。

メディア・アーティストの落合陽一さんとつぎのような話をしたことがあります。人工知能が人間の知能を超えると、人工知能自体が自然界のデータをじかに集め、処理し、新しい理論をつくり、その理論をもとにテクノロジーを生み出す時代が来る。そうなると、人間は人工知能が理解している世界を理解できなくなって、ただテクノロジーの恩恵を受けるだけになる。

落合さんはそれを人間の危機と感じていたようでしたが、ぼくは見かたが違っていました。というのも、ぼくにはそれは、人間のいままでのありかたとあまり変わっていないように感じられたからです。

人間はいまでも自然界を完全には理解できていません。メカニズムがわかっていないことが無数にある。そしてそんな理解できない自然の恩恵を受けて生きている。

そもそもぼくには、人間が自然を完全に理解できるという発想のほうがおかしく思えます。人間はたいへん小さな頭脳しかもっていません。計算速度も遅い。加えて動作期間はせいぜい100年くらいしかなく、記憶の移転もできない。こんな欠陥だらけの計算機が世界を理解できるわけがない。

歴史的に見れば、人間の脳が世界全体を理解できるという発想自体が、ここ300年か400年ぐらいのヨーロッパで生まれた幻想にすぎません。シンギュラリティの到来でその夢から覚めるのだとすればけっこうなことです。それは科学者のプライドを打ち崩すかもしれませんが、同じことは地動説や進化論のときも起きました。

ぼくの関心は、そのような技術の誕生で人間社会がどこまで本質的に変わるのか、人間の苦しみや悩みは消えるのかといった問題のほうにあります。その点では、とくに新たな展望は開けていません。

人間社会の本質はＡＩで変わらない

人工知能は産業構造を変えます。しかし社会の本質は変えません。これから5年、10年でその差異があきらかになってくるのではないでしょうか。

なぜ社会の本質は変わらないのか。そこでまた訂正する力が関係してきます。社会はゲームです。しかもどんどんルールが変わっていくゲームです。そのダイナミズムを支えるのが訂正する力です。

それは人工知能には担えません。むろん、いまの人工知能は定められたルールにはとても柔軟にしたがうことができます。適切な目的さえ設定すれば、自分でルールを発見し、ルールの変更にも対応することができるでしょう。けれども、ここでは詳しく述べませんが、人工知能が身体をもたない以上、その対応にはどうしても限界が生じると考えられます。

人間の訂正する力の発露はじつに自由自在です。たとえば人間は、不毛な論争を打ち切るために、まったく関係のない身体的な行為を導入することがあります。

それはとても具体的で、身近なことです。論争で疲れたので一緒に酒を飲むとか、恋人同士であればスキンシップや性的な接触をもつとか、そういうことです。いっけんそれは言語ゲームと関係ないように思われるかもしれませんが、これもまた一種の訂正の行為です。そしてそのような接触によって、さっきまで続いていた争いがどうでもよくなるということも、またじつによく起きていることです。というよりも、人間関係の調整とは本質的にはそういうものです。はたしてそのような訂正が人工知能に可能でしょうか。

ぼくは、そのような力をもたないかぎり、人工知能の出現は人間のあいだのコミュニケーションの根幹を揺るがさないと考えています。

そして逆に、もしかりに人工知能が官能的な身体をもち、そのようなコミュニケーションの訂正まで可能になったとしたら、そのときはそれはもはや人間と本質的に変わらない存在になってしまい、かえって社会のありかたにも影響しないように思われます。だから、どちらにしろ、人間の問題はいまと変わらず残り続けると思うのです。

子どもの絵の価値

以上を要約すれば、人工知能社会の到来で重要になるのは、むしろ「人間とはなにか」という問いだということになります。

さきほどChatGPTの例を挙げましたが、いまはStable Diffusionなどのイラスト系生成AIもすごい勢いで進化しています。いくつかのキーワードを入力するだけで、イラストを自動で生成してくれる。きわめて便利なのでコンテンツ産業に与える影響は甚大でしょう。そのうち動画も生成できるようになるでしょうし、おそらくは数年以内に、物語からキャラクターデザインからなにから、すべてAIが担当したそれなりに高品質な映像作品が生み出されてくるのではないかと思います。

しかし重要なのは、そのとき人間がどう「感じる」かです。じつは人間は必ずしも質のいいコンテンツに感動するわけではありません。

たとえば子どもの絵。ぼくは自宅に娘が小学生のころに描いた絵を飾っているのですが、これには芸術的な価値はまったくないでしょう。にもかかわらずぼくには価値がある。なぜか。それは娘が描いたからです。

これを難しい言葉で言えば「作家性」ということになります。じつは人間はコンテンツを消費するとき、その内容だけでなく、「それをつくったのはだれか」といった付加情報も同時に消費しています。それが作家性です。

ときにはその付加情報のほうが高い価値を生み出すこともあります。一枚の絵が何十億円という価格で取引されるアートマーケットは、まさにそのような世界です。作品だけなら、いくらでも複製できるかもしれない。でも「この絵が、あるとき、あの作家によって描かれた」という事実性は複製できない。だからそちらのほうにより高い価値が付加されるわけです。ちなみに言えば、その事実性をデジタルで再現しようとしたのがNFTです。

人間はじつは、コンテンツの中身と付加情報をともに消費している。それはふだんは自覚していない。けれどもアートマーケットのような先鋭的な場所、あるいは自分の子どもの絵を飾るような極端な事例では明確に現れてきます。

「作家性」の再発見

そしてぼくは、良質なコンテンツが安価で無限につくられてしまうＡＩ社会においては、あらためて本体と付加情報のずれが問われてくると思うのです。要は、作家性がますます大事になってくるということです。

ここまで本書を読んできたかたはおわかりのとおり、これもまた訂正する力と関係しています。作家性を支えるのは、まさに「じつは……だった」という発見の感覚だからです。ぼくはさきほど、それを固有名における定義の変更の問題として説明しました。

目のまえに、稚拙な子どもの絵がずらりと並んでいたとする。「ふーん」と無関心でいたところに、ある絵を指して「これはあなたのお子さんが描いたんですよ」と言われる。そうすると、突然すごくいい絵に見えてくる。だれしもそういう経験はあると思いますが、まさにそれこそが訂正の行為であり、作家性の感覚の萌芽です。

これはふしぎな感覚です。しかしそれは現実に人間社会のなかで動いており、金も生み出している。ここに食い込まないかぎり、芸術は影響を受けません。

むろん、人間がつくっているコンテンツで、作家性とは無関係に流通しているものはたくさんあります。匿名で売れているものもある。とはいえ、そこに限界があることもたしかです。人工知能を使っていくら良質なコンテンツを生み出しても、「で、だれがつくった？」という物語が付加されないとあるていど以上売れない、金にならないということが現実として起こってくるのではないでしょうか。

ひとはひとにしか金を払わない

そのような「じつは……だった」の力を的確に分析することは、これからのビジネスで不可欠になると思います。

作家性という言葉は古臭いと感じたひともいるでしょう。実際、ぼくが学生のころには、思想界ではしきりと「作者の死」が語られていました。ポストモダン社会では、近代的な作家像は解体されるのだと言われたりもしていました。

けれども現実に起きているのは、作者の死どころか、かつてなく作家性が重要になっているという変化です。ツイッターにせよYouTubeにせよTikTokにせよ、現代人は

「ひと」にかつてなく関心をもっている。あるひとが魅力的だと思えば、多少コンテンツがダメでも平気で金を払う。

このような変化を、プロの業界の人間は軽視します。プロはコンテンツの質を重視するからです。小説家は大事なのはまず文章の質だと考えます。ミュージシャンは大事なのはまず音楽の質だと考えます。映像作家は大事なのはまず映像の質だと考えます。当然のことです。

でも現実には消費者はそう動いていない。どう見ても質の低いコンテンツにどんどん金を払っている。

かつてアテンションエコノミーということが言われました。注目を集めれば金が儲かるという意味の言葉ですが、ふたを開けてみれば、そこで注目の単位になったのは作品ではなく「ひと」だった。内容がいいから作品が売れている、などと信じているのはいまや一部の玄人（くろうと）だけなのです。

これはどういうことなのか？　もっと原理的に考えなければいけません。これからは多くのひとがこの問題に直面することになる。生成ＡＩが普及することで、いい文章やいい音楽やいい映像をつくるほうが簡単になってしまうからです。プロの能力のほうがコモディティ化しつつあるからです。

プロの能力が無料で利用可能で複製可能になってしまったら、金を払う対象は、プロかアマチュアかは関係なく、発信者の存在感だけになってしまう。そういう点で、いまが文化産業の大きな転換点なのはまちがいありません。

ゲンロンカフェと「神感」

ひとはなにに感動するのか。なにに金を払うのか。考えれば考えるほどわからなくなります。最後にぼく自身の経験をお話しします。

次章であらためて語りますが、東京にぼくが経営している「ゲンロンカフェ」というイベントスペースがあります。観客を100人も入れればいっぱいの狭さで、ビルも古く、いつかは引っ越さねばと思っているのですが、他方でここがもしテレビのスタジオみたいに豪華で広大な空間になったらなにかが壊れるとも感じています。

それはふつうは「アットホーム感」と言われるものです。けれども、ぼくは別の表現ができないかと考えています。

それがまさに訂正する力や作家性の感覚とつながっています。「じつは……だった」という発見を生み出す空間。コンテンツの質とは別に、なんとなくがんばっているから応援したいという気持ちになれる空間。

ぼくはゲンロンカフェを運営するにあたって、トークショーを聞くまえと聞いたあとで、登壇者への見かたが少し変わるような空間を目指してきました。要は「訂正する力」が働く空間ということです。

うちのお客さんが使う言葉に「神感（かみかん）」というものがあります。なんかすごいものを見た、ぐらいの意味なのですが、これは必ずしもトークの内容がいいからといって寄せられるものではありません。

むしろプレゼンがきちんとしていたり、話の内容が一本調子だったりすると寄せられません。トークの最中にハプニングが起こったり、話が脱線して先行きが見えなくなったりすると、寄せられることが多い。そういうときはてきめんに売上が伸びます。とはいえ、むろん雑談をすればいいわけではないので、いったいどうやったら「神感」が生まれるのかは毎回試行錯誤です。

ただ感じているのは、それがここまで話してきたような作家性とつながっているのではないかという直感です。

有名人でないとだめだという意味ではありません。無名の登壇者でも「神感」が宿ることはあります。むしろ大事なのは、「ああ、このひとはこういうひとだったのか」「この話題はこんなにおもしろかったのか」という意外性の発見です。そういう事例を数多く見ていると、ひとはどうも、「じつは……だった」という発見、つまり定義の訂正そのものに強い快楽を感じているのではないか、という仮説が出てきます。

つまり、訂正する力、それそのものが商品になりうるのではないか。ゲンロンカフェが売っているのは、じつは訂正の経験なのだと思うのです。

訂正の経験を売る

多少おおげさに言えば、ぼくはここに、これからの人文知のひとつの可能性があるような気がしています。

理系の学者には有益な知識がある。彼らはそれを売ることができる。でも文系の知識は売り物にならない。そういう悩みをよく聞きます。

だとすれば、文系の学者は、知識自体を売るのではなく、お客さんがすでにもつ知識に「じつは……だった」という発見を加え、古い知識を新しい現実に適応させる「訂正の経験」を売るのだと考えたらどうでしょう。

TEDという有名な国際的カンファレンスがあります。さまざまな分野の専門家が短い時間でプレゼンを行うので知られています。

ぼくはときどき、冗談として、「TEDで3分でやる話を、ゲンロンカフェでは3時間かけてやるのだ」と言うことがあります。知識を売るのであれば、時間は短ければ短いほど「タイパ」がいいという話になる。けれども、ぼくがやりたいのは知識を売ることではない。体験を売ることです。だから長い時間が必要になります。

訂正する力とは対話する力のことでもありました。長いあいだ話していると、それだけでひとはいろいろと余計なことを話します。

その余分な情報が聴衆を刺激し、それぞれの頭のなかからいろいろな連想を引きずり出す。そういう経験は、人工知能社会になるこれからの時代にこそ貴重なものです。

ぼくたちは「コスパ」「タイパ」の時代に生きています。けれども、メッセージを効率よく伝えるだけではけっして到達できない、コミュニケーションを奥底から支える力があります。それこそが訂正する力であり、「じつは……だった」の感覚であり、作家性＝固有名の力なのです。そしてその力の提供は、新たなビジネスの源泉になりえます。

本章のまとめ

この章では、バフチン、クリプキ、ウィトゲンシュタイン、ポパーなどの思想家を参照しながら、訂正する力の哲学的な側面を掘り下げてきました。

訂正する力の核心は、「じつは……だった」という発見の感覚にあります。ひとは、新たな情報を得たときに、現在の認識を改めるだけでなく、「じつは……だった」というかたちで過去の定義に遡り、概念の歴史を頭のなかで書き換えることができます。人間や集団のアイデンティティは、じつはそのような現在と過去とをつなぐ「遡行的訂正のダイナミズム」がなくては成立しません。

このダイナミズムは人文学の役割にも深く関係しています。自然科学がポパーの唱えた反証可能性の原理に基づくのに対して、人文学は訂正可能性の原理に基づきます。前者では過去はリセットされ、後者では過去は訂正されます。

あらゆるコンテンツが人工知能で作成可能になる時代には、むしろ作家性が重要になります。作家性は「じつは……だった」の感覚で生み出されるものであり、訂正する力で支えられているからです。人工知能はそのような力をもちません。したがって、人工知能の時代にあっても、訂正する力について考える人文学の意義はけっして色褪（いろあ）せることはありません。それどころか、新たなビジネスに結びつく可能性も秘めています。

次章では、最後に少し触れた個人的経験を膨らますかたちで、そんな訂正する力の人生への応用について語ることにします。

第3章　親密な公共圏をつくる

時事と理論と実存

ここまで時事問題から哲学の話題まで、さまざまな話題に触れてきました。「はじめに」でも触れたとおり、哲学には「時事」と「理論」と「実存」の3つの要素が欠かせません。

かつてマルクス主義が支持されたのは、理論の魅力だけでなく、その3つがバランスよく含まれていたからだと思います。マルクス主義には革命の理論があり、日常的な政治問題への処方箋があり、さらには「おまえも革命戦士として生きろ」といった実存的なメッセージもありました。理論だけでは、思想は力をもたないのです。

ところが、最近ではこの3つを兼ね備えた言葉がたいへん少ない。

いずれかふたつを兼ね備えた言葉はあります。たとえば時事と理論。最近の倫理基準に照らせば大臣のこれこれの発言は許されない、といったタイプの議論です。そのようなことを語るひとは、リベラル派を中心にネットにたくさんいます。彼らの分析はよいのですが、残念ながら、厳しい社会批判のわりには自分自身は大学勤めの安定した立場

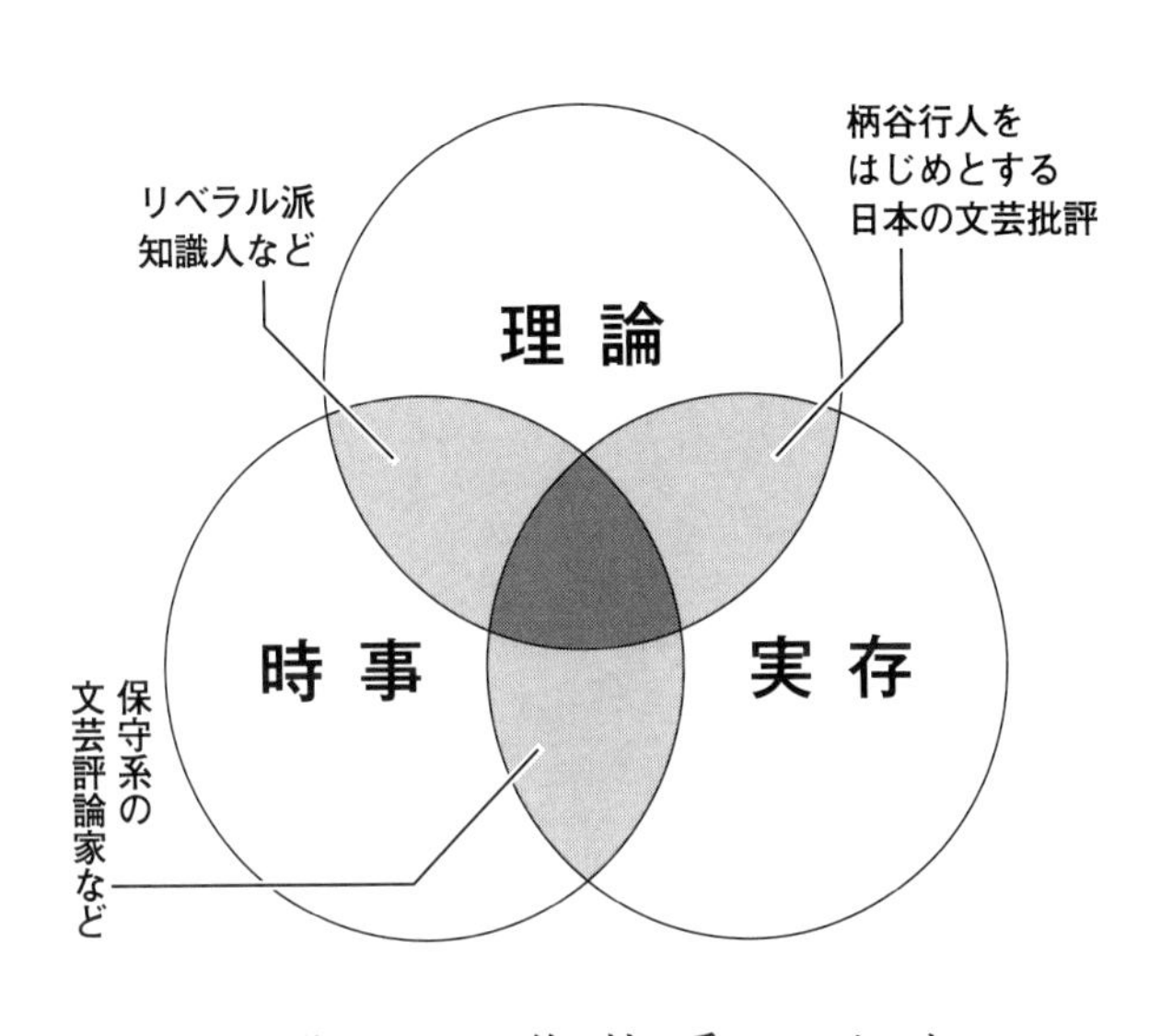

であるひとが多い。肝心の自分の生き方、つまり実存との結びつきに欠けているため、なんとなく人間味が感じられず、支持を集めにくい。

他方で時事と実存の組みあわせは、保守系の文芸評論家などに見られます。彼らは情熱をもって政治や社会を語るものの、背後に理論があるわけではない。だから言葉に広がりがない。政治的な立場は違いますが、ツイッターによくいるリベラルな作家、芸能人、ミュージシャンなどもここに分類できるかもしれません。

最後の理論と実存という組みあわせは希少ですが、歴史的にはむしろ日本の文芸批評の本流だと言えるかもしれません。難しいことをぐるぐる考える、その「生きざま」が批評だといったスタイルです。現役のひとだと柄谷行人さんが典型でしょうか。ネットでアニメやゲームの評価をめぐり侃々諤々の議論を交わしている若い男性——なぜか男性が多いのですが——たちは、この予備軍です。

時事と理論と実存を3つの円が重なるベン図にして、日本の知識人をマッピングしてみるとおもしろいでしょう。3つの円が重なる場所にいるひとはほとんどいません。

そこでぼくはこの本を記しています。訂正する力についての思考は、3つの領域をシームレスにつなげることができる。

第1章で示したように、訂正する力はいまの日本社会に必要な力であり、第2章で示したように、意識とはなにか、言語とはなにか、法とはなにかといった理論的な問題にもつながっている。そしてこれから話すように、訂正を意識することは生きる指針にもなりうるのです。

訂正する力は経営の哲学だ

まずはぼく個人の経験からお話ししましょう。何回か話題にしましたが、ぼくは小さな会社を経営しています。会社の名前は「ゲンロン」と言い、創業して2023年の4月で13年になりました。

前章で触れた「ゲンロンカフェ」は、この会社が運営しているイベントスペースです。ゲンロンは最初は出版社として始めたのですが、その後いろいろと変遷があり、いまでは小説執筆が学べる市民講座を開いたり、イベントスペースを経営したり独自のネット配信プラットフォームを開発したりと多角的に展開しています。

訂正する力の思想は、この会社を経営する経験なしにはありえませんでした。第1章で述べたように、訂正する力とは持続する力のことです。

会社を続けるためには、会社自体も変わらなければならない。「自分たちは価値のあることをやっているのに、なぜ利益が上がらないのか」といった頑固な発想では、肝心の会社が潰れてしまう。だから訂正が必要になります。会社を経営することでそれを実感しました。

しかし同時に、「自分たちは変わらず同じ夢を追っているんだ」と信じることも大事だと学びました。そうでないと場当たり的な経営になってしまう。まさに前章で述べた言語ゲームの話です。ゲームのルールはどんどん変わっていく。でもそれを「同じゲーム」としてまとめあげる。それこそが経営の哲学にほかなりません。

ゲンロンの経営で生じたさまざまなドタバタについては、2020年に刊行した『ゲンロン戦記』という本に詳しく書いてあります。興味のあるかたはそちらをご一読ください。

ここでは本書のテーマと関連するかぎりでかいつまんで紹介します。

社長交代という「訂正」

まず最大の訂正の経験は社長交代でした。ゲンロンはぼくが創業した会社ですが、いまは代表ではありません。

直接のきっかけは、2018年の末に、ぼくが精神的な不調に見舞われ、経営状況の悪化もあって会社を閉じる決断をしたことです。そのとき、当時副代表だったロシア文学者の上田洋子さんに説得され、彼女が代表を引き受けるということで解散を思いとどまりました。

創業時にはこのような展開はまったく考えていませんでした。そもそもゲンロンは、ぼくが自分のやりたいことをするためにつくった会社です。肝心のぼくが降りてしまうのであれば、なんのために会社があるのかわからない。

けれども、振り返ってみれば、この社長交代はとてもよかった。上田さんは部下の扱いがうまく、売上も上がったということもあったのですが（裏返せばぼくに経営能力が欠けていたということで、個人的にはショックでもありましたが）、それ以上にゲンロンという会社に広がりが出た。ぼくの社長時代は、ゲンロンはあくまでも、ぼくによるぼくのためのぼくの会社だった。それが変わった。過去の事業の位置づけも変わった。まさにアイデンティティの訂正です。

トークイベントを発見する

もうひとつ大きかったのは、時間を遡りますが、2013年2月のゲンロンカフェのオープンです。

ゲンロンはもともと出版社にしようと思っていました。ぼく自身が文筆を生業にしていた人間ですし、あまり社交的な性格でもないので、店舗の経営なんて考えたこともなかった。それなのになぜトークスペースなどつくったのかと言うと、詳しい経緯は省きますが、当時の社員にひとり積極的な人物がいて、彼に引きずられるかたちでずるずる始めてしまったところがあります。

ところが始めてみるとじつに評判がいい。現場で好評なだけでなく、開店から半年ほど経ってニコニコ生放送（ニコ生）でトークイベントを配信するようになると、かなりの収益を生み出すようになった。その後、放送の売上はコロナ禍で急成長し、いまではゲンロンを支える経営の柱になりました。

まさに事業内容が訂正されてしまったわけですが、それだけではありません。じつはゲンロンカフェではイベント時間に制限をつけていないので、深夜まで6時間、7時間と議論が続くこともめずらしくない。

これもけっして最初から計画していたわけではありません。けれども、登壇者がかくも長い時間飽きることなく話しているのを連日見ていると、やはり対話やコミュニケーションの本質についていろいろ考えるようになる。前章で紹介したようなバフチンやクリプキの読みは、ゲンロンカフェの経験抜きでは思いつかなかったと思います。

つまり、ぼく自身の哲学が、ゲンロンの経験によって訂正されてしまったのです。最近はインタビューで「ゲンロンといえばひとが集まり長い時間しゃべる場所で、それがまさに東さんの哲学の核心に関わっているわけですよね」と言われることが多くなりました。たいていは「そうですね」と頷いています。

でも本当のところは、そんなことはキャリアの最初には考えていなかった。結果的にこういう仕事をするようになり、いまのような考えを抱くようになったにすぎない。とはいえ、そんな現在から振り返って過去の著作を読むと、たしかにいまの仕事を予告しているようにも読める。過去が遡行的に訂正されているのです。

固有名になれ

このように、ぼくにとっては、ゲンロン経営の経験全体が「訂正する力」の源泉として働いています。自分の限界を知り、人生を見つめなおし、過去になにをしてきたか、これからなにができるかを新しいパースペクティブのもとで訂正する機会に恵まれた。40代になってそんな機会が与えられたのは、とても幸運でした。

では、そんな機会を手に入れるにはどうしたらよいでしょうか。

まず鍵になるのが、前章で触れた固有名です。固有名にならないと「じつは……だった」という発見の視線に晒されない。他者が自分を固有名として見てくれないと、自分の人生も訂正できない。したがって、訂正する力を身につけるためには、まずは固有名になるように努力しなければなりません。

どういうことでしょうか。ここで固有名になれというのは、けっして有名になれという意味ではありません。周りのひとに対して、職業や役職といった属性を売りにするのではなく、「属性を超えたなにか」で判断されるような環境をつくれということです。

余剰の情報をつくる

ふたたびゲンロンカフェの例で説明します。イベントの時間に制限をつけなかった理由のひとつとして、ぼくがそもそもメディアにおける専門家の扱いが苦手だったということがあります。

テレビの報道番組では、専門家が、短ければ数分、長くても10分や15分だけ話し、知識を伝えて帰るというのがふつうです。地上波のテレビであれば、視聴者が何百万人もいるのでそれにも意味があるのかもしれない。けれどもゲンロンカフェで同じことをやってもしかたありません。そもそも知識を伝えてもらうだけなら、ブログや本を読めばいい。わざわざ登壇者に足を運んでもらっている以上、そのひとが肉体としてそこに存在していることの意味をきちんとつくらねばならないと考えました。

言い換えれば、登壇者の主張とは別に、ゲンロンカフェでは「余剰の情報」を感じ取ってほしいと考えました。それは身振りでもいいし、意外な雑談でもいいし、メディアで見せるものとは別のリラックスした顔でもいい。そういう余剰があるからこそ、「じつは……だった」という発見が生まれる。そしてそのためには時間が必要になる。だからゲンロンカフェのイベントは長いのです。

この運営方針を裏返すと、訂正する力を身につけるための方法が見えてきます。大事なのは「余剰の情報」です。友人や仕事仲間との関係において、どこまで「余剰の情報」をつくれるのかが鍵となります。

与えられた仕事をこなす、期待された役割を果たすというだけでは、ひとはあなたを固有な存在だと思ってくれません。固有名になるためには、そういう期待の外で、相手に交換不可能な存在だと思ってもらわねばならない。

それは特別な能力を示せということではありません。むしろまったく逆です。そもそも、ひとはだれでも交換不可能で、固有の存在です。それがふつうに生きていると見えなくなっているだけの話です。

日常の生活では時間がかぎられているので、ひとはみな必要な情報しか交換しない。だからたがいに、あのひとは何歳で、どんな仕事をしていて、どんな役職に就いていて、どんな趣味をもっていて、どんな感じのひとでといった類型に分解し、それで交流した気持ちになっている。それどころか、自分自身についても、みずから類型のなかに入り込み、他人からの期待をこなすだけになってしまっている。

その鎧（よろい）を打ち壊せば、人間はみな自動的に交換不可能な存在になります。そうすると相手は自然と「じつは……だった」とあなたを発見してくれるようになります。「余剰の情報」が必要なのはそのためです。

周りに「余剰の情報」の場をつくること。そのために時間に余裕をもつこと。それが訂正の梃子（てこ）になります。

交換不可能な存在になる

ぼくはつねに、自分のイメージを訂正されたいし、他人のイメージも訂正したいと感じています。対話を終えて、相手が「東さんはじつはこういうひとだったのか」と思ってくれて、ぼくのほうも「このひとはじつはこういうひとだったのか」と思う。そういうものが生産的な対話だと考えています。

そういう考えなので、ある時期からめっきりマスコミに出なくなってしまいました。いまの論壇は言論人に専門家の役割しか求めません。コロナであれば公衆衛生の専門家、ウクライナ戦争であれば国際政治の専門家と、事件ごとに専門家がメディアに出ずっぱりになりますが、だれも彼らの人格には興味を覚えません。「余剰の情報」は邪魔になるだけです。

でもぼくは、そういう仕事は退屈だと感じます。退屈というだけでなく、リスクが高いとも感じる。

なぜリスクが高いのか。それは、専門家としてあまりに読者やメディアの期待に応え続けていると、状況の変化に対応できなくなるからです。本書の言葉で言えば、訂正される可能性を失ってしまう。

保守派にもリベラル派にも、いまはそういうがんじがらめな状況に陥っている言論人が多くいます。安倍政権支持でずっと保守雑誌に寄稿していたひとは、安倍氏が亡くなっても方針転換のしようがない。逆にリベラルのほうでも、2022年9月の国葬反対運動に見られたように、批判対象が亡くなったにもかかわらず「反アベ」を叫び続けるひとが多数いた。軌道修正ができなくなっているわけです。

社会状況はどんどん変わります。世論もたいへん無責任です。あるときは正義だと見えたものが、数年後にはひっくり返ることも平気で起きる。変化をすべて予想し、時期的に離れた発言のあいだで矛盾が起きないようにするのは不可能です。本当は、言論人はそんな変化に対応し、訂正を繰り返す必要がある。にもかかわらず彼らが軌道修正を頑(かたく)なに避けるのは、そんなことをしたら支持者を失ってしまうと恐怖しているからでしょう。立場を守ろうとするあまり、現実に対応できなくなっているわけです。

別の言いかたをすれば、訂正可能な存在になるとは交換不可能な存在になるということでもあります。

たとえば数年前まで、ロシア情勢に詳しいと言えば元外務省主任分析官の佐藤優(まさる)さんでした。そんな彼はウクライナ戦争が始まって以来、親ロシアだとして批判に晒されています。

にもかかわらず、彼はいまだに活動を続けています。そんなことができるのは「佐藤さんの発言であれば聞かざるをえない」という信頼があるからでしょう。言い換えれば、佐藤さんは交換可能な専門家ではなく、「佐藤優」という固有名として存在しているわけです。

ぼくは必ずしも佐藤さんの情勢分析を正しいと思いません。けれどもいまそのような立場を築けているのはすごいことで、それは彼がロシア分析以外の「余剰の情報」をたくさん発信してきたからだと思います。国際政治学者からすれば不愉快なことかもしれませんが、それも言論の力です。専門家はそういうとき、交換可能なので逆に弱い存在になってしまいます。

「訂正するひとたち」を集める

第1章で、訂正する力は老いる力だと述べました。

実際、年齢を重ねれば重ねるほど、過去の自分と現在の自分の齟齬（そご）は大きくなります。そのことに失望するひとも出てきます。

そのような危機を乗り越えるためには、訂正する力を利用するほかありません。自分の周りに「余剰の情報」を張り巡らし、「じつは……だった」の回路を用意することで、安易にひとが役割を押しつけないようにすること。周りのひとに自分を「再発見」させるような環境をつくること。それは、年齢を重ねつつ、それでも人間関係を持続するために不可欠な戦略でもあるわけです。

とはいえ、注意してもらいたいのは、これは「なにを言っても信じてくれるひとをつくれ」という話ではないということです。

こちらの行動を逐一観察し、是々非々でつきあいを決めるひとばかりだと人生は行き詰まります。かといって逆に、なにがあってもついてくるひとに囲まれていても成長はありません。ぼくが強調したいのは、その中間が大事だということです。

これは難しい話ではありません。たとえばいま、あなたがかつてはリベラルだったのに、少しずつ保守的なことを言うように変わってきたとしましょう。

そのとき頭の硬い読者は「リベラルだと信じていたのに保守になった、がっかりだ」で終わりです。他方でいわゆる「信者」は、「どこまでもついていきます」となってしまう。これは両方とも意味がありません。望ましいのは、「あなたのことはリベラルだったと信じていたが、じつは保守でもあったのですね、そういえば過去のあの発言やこの発言もそう理解できるかもしれない」と、「じつは……だった」の訂正の論理によって、あなたの一貫性を再発見してくれるような人々です。そういうひとがいないと、安心して変化できません。

訂正するひとは信者ではないから、もしかしたらあなたに失望し、離れることもあるかもしれません。けれどもそれが、抽象的なイデオロギーによるものではなく個別の判断で行われるのであれば、そこには学びがあります。それはそれで、あなたへのフィードバックになり、新しい訂正のきっかけになるはずです。

人生は、自分を属性で判断するひとに囲まれても、けっして豊かにはなりません。いつまでも期待に応えなければならないからです。

かといって信者に囲まれても閉塞感が増すばかりです。豊かな人生を送るためには、自分の価値を「じつは……だった」というかたちで何回も再発見してくれる、「訂正するひとたち」が必要なのです。

信者が集まるのを避ける

人生は、訂正する力で豊かになります。自分のイメージが他人のなかでたえず訂正され、他人のイメージも自分のなかでたえず訂正されていく、そういう柔軟な環境が生きることをとても楽にしてくれるからです。

ぼくはさきほど、ぼくにとってゲンロンという会社はそのような場になったと述べました。こんどはなぜそれが会社というかたちを取ったのかを説明しましょう。

いままでの話でわかるとおり、訂正しあう関係は、あるていど親密な関係でしか成り立ちません。訂正のためには「余剰の情報」が必要だし、考える時間が必要だし、試行錯誤を許しあう信頼関係が必要だからです。

けれども、では「訂正するひとたち」として少数の人間を集め、彼らとだけ親密な関係を結べばいいのかといえば、必ずしもそうではありません。そのような関係はすぐに閉塞した信者との関係に変わってしまいます。それは、ぼく自身、会社をつくるまえに経験したことでもあります。

それゆえ、ぼくたちはつぎに、そのような親密な関係を、親密さを損なわないまま大きくしていく手段を考えなければいけません。それができてはじめて、訂正する力は社会を動かす力に変わっていくのです。

組織をつくる

親密さを維持したままスケールアップするとはどういうことでしょうか。難しいことではありません。組織をつくればいいのです。

組織は英語でオーガニゼーションと言います。この言葉は有機体（オーガニズム）という言葉とつながっています。また器官（オーガン）とも語源が一緒です。つまり組織とは、小さい密な関係をもつものがいっぱい集まって大きなまとまりをつくる、そういう様態を指す言葉なのです。組織をつくって、はじめて訂正する力は開かれたものになります。「じつは……だった」という発見が他者と共有できるものになり、集団のアイデンティティがダイナミズムを帯びるようになります。

組織という言葉はいまの思想界では評判が悪いようです。かつて共産党が「党組織」とか「細胞」とかいった生物学的な比喩を使いすぎたせいかもしれません。

1970年代に強い影響力をもったフランスの哲学者、ジル・ドゥルーズとフェリックス・ガタリの二人組は、人間のつながりは「器官なき身体」になるべきだと述べたことがあります。全体の管理がなく、個体が個体のまま、アドホックに集まっては別れ、別れては集まるような「組織なき運動」が理想だと述べたわけです。

組織と動員

そのような「組織なき運動」の理想は、ネット時代に入って世界中で実践されることになりました。ＳＮＳを使った動員のことです。

わかりやすいキャッチフレーズを拡散し、一時的に人々を動員する。参加資格は問わないし、イデオロギーも定めない。あえて組織をつくらない。日本でも２０１５年、安保法制反対を目的として結成され、カリスマになった学生団体の「ＳＥＡＬＤｓ」が、まさにそのような戦略で支持を集めました。

けれどもぼくはそのような方法論に否定的でした。なぜなら、そういう運動は持続しないからです。実際、ＳＥＡＬＤｓはマスコミにもち上げられたわりには、翌年あっさりと解散してしまった。

なぜそうなるのか。それは、そのような運動には「じつは……だった」という再定義が生じないからです。訂正する力が宿らない。

訂正する力を宿すためには持続的な組織が必要です。あるていどの数の人々を顧客にし、金のやりとりをし、しかし同時に親密な関係を守ろうとするからこそ、「じつはぼくたちがやるべきだったのは……なのではないか」という反省が働く。これでは儲からない、これではひとがついてこないという試行錯誤をすることができる。SEALDsがマスコミを賑わせていたとき、ぼくはゲンロンを経営しながらそのようなことを考えていました。

第2章でリセットか訂正かという対立に触れました。それに照らせば、「器官なき身体」の動員はリセットの運動論です。毎回ゼロから始める。記憶をもたない。それに対して組織は訂正の運動論です。過去の失敗を記憶し、「じつはぼくたちがやるべきだったのは……なのではないか」という反省を繰り返す。ぼくがゲンロンでやってきたのは、まさにその反省の連続でした。

ルソーの演劇否定論

訂正するひとの共同体が信者の共同体に堕落することを避け、訂正する力をきちんと守るためには、「じつは……だった」の発見で再定義され続けるような組織をつくること、あるいはそのような組織のなかにいることが必要です。

少し別の角度から考えてみましょう。社会学では親密圏と公共圏という対立で世の中を捉えます。その対立に強引にあてはめるならば、訂正するひとの共同体は「親密な公共圏」とでも言える両義的な存在です。

社会はそんな親密な公共圏がたくさんあるほうが豊かになります。『社会契約論』を書き、フランス革命に影響を与えたことで知られる18世紀の思想家、ジャン＝ジャック・ルソーは、『演劇についてのダランベール氏への手紙』という文章を残しています。ルソーはそこで演劇を否定しています。なぜ否定しなければいけなかったか。じつはこれはいまでも刺激的な議論です。

ルソーはジュネーブの出身です。ジュネーブはいまではスイスの一都市ですが、当時は小さな独立国家でした。カルヴァンが16世紀に宗教改革を始めた街で、プロテスタントの長い伝統があり、誇りがありました。そのなかで演劇が禁止されていました。

ところが他方、当時はフランスでは演劇が花盛りでした。そしてそのような新しい芸術の台頭は啓蒙主義と密接に結びついていました。だから、ジュネーブのなかで、貧しい保守層はどちらかというと演劇否定で、リベラルな上流階級は演劇の導入を主張する。まずはそういう対立関係がありました。

そしてそのうえで、ダランベールというフランス人の啓蒙思想家が、「ジュネーブはいい街だが、劇場がないのが退屈なので劇場をつくったほうがいい」という文章を発表しました。それにルソーが激怒したのです。

「セルクル」が壊される

つまり、現代風に言えば、保守対リベラル、ローカル対グローバルという対立が、演劇導入の是非として議論されていたわけです。そこでルソーは断固としてジュネーブの側に立った。「おれたちの街を潰すな」と。

なぜ反対したのでしょうか。ルソーは、劇場をつくるには金がかかるし、劇場ができると人々は虚飾に染まり社交ばかりするようになる、それがいけないと記しています。でもそれだけでもありません。

ルソーによれば、当時のジュネーブには、セルクルという寄合がたくさんあったそうです。日本語版の全集だとカタカナで「セルクル」とそのまま書かれていますが、英語だとサークルとなります。

男性が12人から15人ぐらい集まって、遊んだりピクニックに行ったりする。奥さんも奥さんで集まる。小さな町内会みたいなものでしょうか。それが当時のジュネーブにはたくさんあって、統治の基礎にもなっていた。ルソーはじつは、演劇はこのセルクルを壊すからまずいと言っているのです。

これは今日にも通じる話だと思います。当時の演劇は、それまでのものと比較して巨大な新手の娯楽産業でした。それが外国から入ってくる。そうすると、みなの関心が一気にその娯楽に集中してしまう。それまで存在していた小さな交流が壊れて、演劇の話しかしなくなる。ルソーはその可能性を憂えています。

いままさに同じことが起きています。みんなYouTubeの話しかしない。ツイッターしか見ていない。親密な公共圏が壊れている。訂正する力を機能させるためには、もういちどそれを立てなおす必要があるのです。

閉鎖的と開放的の対立は無意味

さきほど述べたように、組織という言葉はいまは好かれません。閉鎖的というイメージがあるのだと思います。

けれどもぼくは、ある集団について閉鎖的か開放的かといった区別を立てること自体が、そもそもナンセンスではないかと感じています。なぜなら、そんな判断は状況や視点によっていくらでも変わるからです。

たとえば家族について考えてみてください。家族というものは、一般的にすごく閉じた集団だと思われている。家族の圧力から逃れたいというひともたくさんいる。けれども、実際にはひとつの家族のなかには必ず年齢の多様性があり、またジェンダーの多様性もあります。男子校や女子校の同じ学年だけの集団などよりも、はるかに開かれていると言えなくもない。

では学生の集団は閉鎖的なのか。部活について考えてみましょう。同じ年代の同じ性別の人間が、みんな揃って同じ野球やサッカーをやっている。閉じているようにしか見えない。けれどもそのような集団においても、メンバーの家族構成や経済的環境に注目すれば多様性が見えてくるはずです。

逆に、開かれて多様な関係を標榜（ひょうぼう）しているけれど、実際はとても閉鎖的で画一的という例もあります。わかりやすいのは、いわゆる「リベラル村」の問題です。

2017年にノーベル文学賞を受賞した小説家のカズオ・イシグロ氏は、2021年のインタビューで、リベラルなインテリは世界中を飛び回って国際的なふりをしているけど、じつはどこへ行っても似た階層のひととしか会わず、同じような話題しか話していない、もっと身近なひとを深く知ったほうがいいと話しています。ネットでかなり話題になったので、ご存じの読者もいるかもしれません。

ぼくも数は少ないながら、国際会議に出席したり、海外の大学に呼ばれて講演をしたりしたことがあるのですが、この意見には完全に賛成です。インテリがインテリと会って話す内容は、国境を越えても驚くほど同じです。開かれた社会を要求しているはずのリベラルが、じつはもっとも閉じている。

だからぼくは、ある集団の質を、閉鎖的か開放的か、多様性があるかないかといった基準で判断するのを本質的だと思いません。むしろ、そのなかで「じつは……だった」という訂正の力が働いているかどうか、つまり、ひとが固有名で見られているかどうかのほうが重要だと考えています。

「かわいげ」の力

相手を固有名で見るというのは、相手を交換可能な存在だと考えないということです。自分の予想から外れるところがあっても、すぐ失望して離れるのではなく、「じつは……だった」の論理によって、むしろ相手のイメージを訂正して理解を深めていく。周りから交換不可能だと見なされる力のことを、ライターの久田将義（ひさだまさよし）さんは「かわいげ」という言葉で表現しています。「かわいげ」を手に入れると、予想と異なった行動や発言をしてもなんとなく許される。あるていどの年齢になってくると、そういう力を手に入れないと生きるのが難しい。訂正する力は、かわいげを身にまとう力でもあります。

とはいえ、固有名で接しあう関係というのはいいことばかりでもありません。たとえばみなさんに子どもがいたとする。

だれでも育児には理想を抱くでしょう。けれども実際は理想どおりにはいかない。理想からかけ離れた子どもに育つこともある。だからといって子どもを交換するわけにはいかない。むろん子どものほうも親を選べない。そんな親子関係や家族関係で苦しんでいるひとは数多くいます。

これはまさに交換不可能性によって生じる苦しみです。だから、交換不可能な関係は人間を不自由にすることもある。家族なんて苦しいムラ社会でしかない、すべてが交換可能な、ネオリベラリズムが支配する都市空間で暮らしたほうがよほど楽だという意見もあるでしょう。

交換可能性と訂正可能性

交換可能性と訂正可能性。すべてが交換できる世界と、なにも交換できず訂正だけができる世界。どちらがよいかは簡単には言えません。

ただ、大事なのは、人間はそのふたつの世界の往復で生きているということです。いまの世の中は、交換可能性を高めること、イコール善といった主張をするひとが多い。だめな従業員ならば解雇すればいい、いやな職場ならば辞めればいい、いやな学校ならば行かなければいい、などです。

たしかに交換の思想はひとを自由にしてくれます。なにもかも「チェンジ」すればいいのですから。

けれども、それだけで人生を最後まで快適にすごすことができるかといえば、やはり難しいと思います。肝心のぼくたちの身体そのものが交換できないからです。いくら周囲の環境を交換し続けたとしても、だれもが自分自身とはずっとつきあっていくしかない。自分を「チェンジ」するわけにはいかない。

言い換えれば、世の中には、交換する力だけで対応できないケースがある。そのときぼくたちを自由にしてくれるのは、訂正する力しかないのです。

技術でひとをつなげる世界

組織という言葉の評判が悪いのは、もうひとつ、現代社会では、情報技術を利用して、人間による介入なく、無意識に人々を管理するのが善だとされているということがあるように思います。

2023年のはじめ、回転寿司チェーンの店内で、客が不衛生な行為をする動画がネットで公開され、炎上するという事件が多発しました。この事態を受けて、あるチェーンではAIカメラの導入を決定したと報道されています。人工知能が客の行動を常時監視し、問題があれば警報を発するというシステムです。

この報道に対して「教育現場に応用すればいじめを根絶できる」という意見が現れました。実際それは可能でしょう。近い将来、あらゆる教室にAIカメラが設置され、人工知能が生徒の行動をつねに記録するという状況は十分に考えられます。

この20年ほどで、世の中の監視への考えかたはがらりと変わりました。2000年代のはじめには、携帯電話にGPSがついているのは不気味ではないか、繁華街や住宅地に監視カメラがあるのはプライバシー侵害ではないか、などといった話が真剣に行われていました。いまや街は監視カメラだらけで、それが犯罪捜査に使われるのも常識になっています。家族や友人のあいだで位置情報を共有することも一般的になってきているようです。

いずれにせよ、そういうAIカメラへの期待が現れてくるのは、いまの人々が「人間が人間を管理すること」に躊躇(ちゅうちょ)を覚えていることの表れだと考えられます。けれども機械が人間を管理するほうは許容する。

本来は寿司屋ならばスタッフが怒ればいいし、学校ならば教師が目を光らせればいい。けれどもそれは暴力だと見なされる可能性がある。ハラスメントと言われかねない。それならば、下手に人間に判断させず、動画という「エビデンス」とともに機械に判断させたほうが問題が起こらないということなのでしょう。

ひとはわかりあえない

そういう流れに照らすと、本書の主張はじつに反時代的です。人間を人間としてしっかり扱うこと、そしてそれをまとめて組織をつくることが大事だと主張しているのだからです。

古臭いと言えば古臭い主張です。けれどもひとつ補足しておくと、ここでぼくが言いたいのは、よく世の中で言われる「しっかり他者に向きあおう」という説教臭い話と、似ているようで少し違います。

ぼくは、人間と人間は最終的にわかりあえないものだと思っています。親は子を理解できないし、子も親を理解できないし、夫婦もわかりあえないし、友人もわかりあえない。人間は結局のところだれのことも理解できず、だれにも理解されずに孤独に死ぬしかない。できるのは「理解の訂正」だけ。「じつはこういうひとだったのか」という気づきを連鎖させることだけ。それがぼくの世界観です。

だから、「組織をつくるのが大事」と言っているのは、そういう空間をつくれば周りのひとにわかってもらえるよ、孤独がなくなるよという意味ではないのです。そういう意味では、ゲンロンをやっていてもぼくは孤独なままです。

そうではなくて、大事なのは、ひとが理解しあう空間をつくることではなく、むしろ「おまえはおれを理解していない」と永遠に言いあう空間をつくることなのです。第2章で触れたバフチンの言葉を使えば、対話の空間です。

トクヴィルが注目した「喧騒」

これは民主主義の問題とも関係しています。この夏に『訂正可能性の哲学』という本を刊行しました。その最後で、『アメリカのデモクラシー』という著作で有名な19世紀フランスの思想家、アレクシ・ド・トクヴィルを取り上げています。

トクヴィルは、アメリカの民主主義がなぜ強靭（きょうじん）なのか、その理由をいちばん最初に考えたひとです。彼はいろいろなことを指摘しているのですが、そのなかで近年注目されているのは「結社が大事だ」という指摘です。アメリカにはとにかく結社が多い。だから民主主義が強いのだという議論です。

これはさきほどの「組織が重要だ」という話にとても近い話です。けれどもそれだけではありません。

結社の指摘に比べて注目されていないのですが、トクヴィルはじつは「喧騒」についても語っています。政治的な主張か非政治的な主張かにかかわらず、アメリカではとにかくいろいろなひとがいろいろなことを街路で訴え、主張のために結社をつくっている。それがすごいと言うのです。

第2章で、民主主義とはクレーム対応の思想なのだと述べました。民主主義の社会とはとにかく「うるさい」社会のことだというトクヴィルの観察は、それと同じことを言っているのだと思います。

民主主義社会は正解を求める社会ではありません。とにかくさまざまなひとが、自分の理屈で好き勝手に「おまえはおれを理解していない」と訂正を求めあう社会、それが民主主義の社会なのです。

日本の潜在的な可能性

そう考えると、日本社会も捨てたものではないかもしれません。日本はじつはとても結社が多い国です。そして「うるさい」国です。

日本には大企業が1万社なのに対し、中小企業は280万社もあると言われます。短歌、俳句、お稽古事など、趣味の結社も無数にあります。

伝統文化だけではありません。マンガやアニメの競争力を支えているのはコミケ（コミックマーケット）に代表される「同人誌文化」ですが、これはまさに結社の文化です。日本人もまた、少人数で集まってわちゃわちゃやるのが好きな国民なのです。昭和までは会社も一種の結社として機能していました。社員寮があり、社員旅行があり、社内恋愛がありました。

そういう日本社会の性格はふつうは政治と無関係だと考えられています。でもそれは意外と大事なことのように思います。

その関係は本書の最後で主題にするとして、ここでひとつ述べておくと、そういうことに関心を抱いたのも会社経営を始めてからでした。

ゲンロンには「ゲンロン友の会」という支援組織が存在し、4000人近い会員がいます。年に1回東京で「総会」という名のお祭り的なイベントを開くと、数百人が来てくれます。

会員たちは個人的にも交流をもち、オフ会を開いています。一緒に旅行などにも行っているようです。この展開には驚きました。ゲンロンを創業したとき、そんなコミュニティが生まれるとは思っていなかったからです。年齢も居住地も職業も異なる人々が、「ゲンロンのコンテンツを消費している」というだけの理由でつながってくれている。さきほど、短期的な動員は不毛だ、持続する組織をつくれと述べたのはこういう経験があったからです。

日本人は欧米人に比べて社交的でないと言われがちです。けれども、ぼくの経験では、いったんきっかけさえ与えてあげれば意外と積極的につながりあうようにも思います。人文知や論壇の再生といった話は、このような地味な活動を抜きには考えられません。

祭りがひととひとを結びつける

組織を動かすようになり、あらためて祭りの機能も考えるようになりました。同人誌文化を育んだのは、毎年夏と冬に定期的に開催されるコミケです。ゲンロンの会員同士の交流も、年一回の総会が要になっています。

季節に合わせて定期的な祭りの場をつくり、熱心な参加者の生活のリズムのなかに入ったうえで、それを足場として規模を大きくしていく。それが日本の風土にあった動員のかたちなのかもしれません。ネットの炎上も「祭り」と呼ばれますが、そこでの祭りは、毎回話題をリセットして、匿名の大衆を動員するもの。本来の祭りとはまったく異なったものです。

民俗学者の柳田國男(やなぎたくにお)が『日本の祭』という本を書いています。その角川ソフィア文庫版の解説で、文芸評論家の安藤礼二さんが大事なことを指摘しています。柳田が祭りについて考えたのは、じつは、戦前の日本に急速に入り込み始めていた資本主義に対抗する、伝統的な農村の共同体原理――「組合」の原理――について考えるためだったというのです。

日本において、祭りは、単なる娯楽でもなければ、また宗教儀式でもない、ひととひとを結びつけるアイデンティティの確認の手段として発達してきました。

いささか飛躍するようですが、この意味において、ぼくは、祭りというのもまた、訂正する力が発揮される場だと言えるのではないかと考えています。祭りに参加することで、ぼくたちは、「この村（共同体）はじつは……だった」と過去を再発見し、現在につなぐかたちで集団的記憶を訂正するという営みを行っているのではないか。だから祭りがある共同体は強いのではないか。

唐突な例ですが、『名探偵コナン』というアニメシリーズがあります。青山剛昌（ごうしょう）さんの人気マンガが原作で、だいたい毎年4月に劇場版の長編が公開されています。2023年の作品で26作目のようです。

この映画が最近は毎回大ヒットとなっています。理由のひとつとして、毎年春、桜に近い季節に新作が公開されるということがあるのではないでしょうか。それは年に1回の祭りのようなものです。観客は映画を観に行っているのではなく、じつは祭りに足を運んでいる。

『名探偵コナン』の原作マンガの連載開始は1994年。当時の小学生はアラフォーになっています。最近は2世代で行く観客も多い。そのうち3世代で鑑賞というスタイルも現れるでしょう。おばあちゃんとお母さんと子どもの3人が一緒に行く。そういう機会をコンテンツ産業が提供し始めています。

出版が輝いていたとき

平凡社に『世界大博物図鑑』という全7巻の図鑑があります。第1章で名前を挙げた荒俣宏さんが、1980年代から90年代にかけて、多額の借金を背負いつつ世界中から数えきれないほどの図版を集めてまとめあげたという、まさに驚異的なプロジェクトです。

荒俣さんはこの仕事をやり遂げるため、長いあいだ平凡社に寝泊まりしていたといいます。会社の床に寝て、会社の備品を使っていた。他方で、いま述べたように肝心の資料は私費で購入していた。いわば公私混同で、いまの常識では考えられない。そんなことが1980年代にはできた。

出版市場の最盛期は1990年代のなかばです。ぼくはそのピークをすぎたあとで仕事を始めました。だからそういう光景には出会っていません。

いまの出版界は、よく言えばみんなすごく健康的で常識人、悪く言えばこぢんまりしたひとばかりになってしまいました。いま荒俣さんのような働きかたを許したら、出版社のほうが訴えられかねません。

大学も同じように平凡な場所になってしまいました。かつては、研究室で酒を飲んだり深夜までゼミをやったり、型破りな先生が数多くいたものです。いまはそういう行為は許されない。最近の先生は、ハラスメント防止のため、学生が来たら必ず研究室のドアを開けておくように指示されるそうです。

遊びを仕事と「訂正」する

出版や大学のそのような変化を退屈だと感じたぼくは、ある時期からIT業界のほうに心惹かれるようになっていきました。

ぼくは文系出身なので、エンジニアの話は完全には理解できません。けれども、2000年代のなかばに業界に触れたとき、そちらのほうに個性的でワンマンで型破りなひとが多いことはすぐにわかりました。ドワンゴ創業者の川上量生さんやプログラマーの清水亮さんなど、いまもおつきあいさせていただいているひとも多いですが、話していると遊びと仕事の境界がないことがよくわかります。

そういうおもしろさは昔は文系にこそあったものです。でもいまの文系にはそういうひとが驚くほど少ない。

ここまで交換可能性と訂正可能性の対立について話してきました。理系こそ交換可能性で支配された世界だと思うかもしれません。でも現実には、いまや文系の世界こそ交換可能性の論理に支配されていて、みんな専門家として職探しをしている。対してITのエンジニアの世界のほうが、よほど「キャラが立って」いて、交換不可能なひとが多い。皮肉なことです。

仕事と遊びの区別がつかない。それが許されているのは、ＩＴの世界においてはしばしば遊びがいつのまにか仕事になってしまうからです。ＬＩＮＵＸをつくったリーナス・トーバルズは、その感覚を「Just for Fun」（ただ楽しいから）という言葉で表現しました。

遊びがいつのまにか仕事になってしまう。それはまさにウィトゲンシュタインとクリプキの言語ゲーム論の話です。訂正する力の話です。

いまＩＴ産業が世界を支配しているのは、彼らエンジニアたちが、ふまじめな遊びをどんどんまじめなビジネスへと「訂正」し続けているからにほかなりません。そのダイナミズムに学ぶべきなのです。

本章のまとめ

この章では、第1章の時事問題への応用、第2章の理論的な説明を受けて、訂正する力が人生においてどのように役立つのかを語ってきました。

ひとは老います。人生は交換できません。それゆえ、ある時点からは訂正する力をうまく使わないと生きることがたいへん不自由になります。

訂正する力を使うためには、自分を交換不可能な存在として扱い、凝り固まった自分のイメージを「じつは……だった」の論理によって訂正してくれるような、柔軟なひとを周りに集めなければなりません。それは具体的には、小さな組織や結社をつくり、「親密な公共圏」をつくることで達成されます。

ぼく自身は、40代に入り会社を経営することで、図らずもそのような「親密な公共圏」を手に入れることができました。むろん、ほかにもさまざまな方法があることでしょう。そこでは日本の風土を利用し、祭りを演出することも補助手段になるかもしれません。

IT業界は、エンジニアに自由に遊ばせておきながら、それをあとで「じつは仕事だった」と訂正するというスタイルで、どんどん新しいサービスを送り出し、世界を制覇しました。それはほかの業界にも応用できる話であり、また政治のありかたに関わる話でもあります。いろいろなひとが勝手なことを言って全体がざわざわしていること、それがトクヴィルの発見した「アメリカのデモクラシー」だったからです。

次章では、ここまでの話を踏まえたうえで、あらためて日本の未来について考え、本書を締めくくることとしましょう。

第4章　「喧騒のある国」を取り戻す

日本思想の批判的な継承

訂正する力への注目は、ヨーロッパの思想から出発して考えたものです。ここまで日本思想の話はほとんどしていません。とはいえ、訂正の考えかたを使って、日本思想を批判的に継承していくこともできるはずです。

戦後日本のリベラルを代表する政治学者の丸山眞男（まるやままさお）は、「歴史意識の『古層』」という有名な論文で、日本文化を特徴づける言葉として「つぎつぎになりゆくいきほひ」というフレーズを提案しています。簡単に説明すると、「つぎつぎ」は継続性、「なりゆく」は生成性、そして「いきほひ」は空気を指します。ものごとがなんとなく自然と生まれてつながっていく。そういう発想が日本の思想や政治を動かしてきたと言うのです。

これは難しい話ではありません。たとえば明治維新。さまざまな志士が活躍したものの、過程は複雑でよくわからない。そもそも最初は攘夷（じょうい）だったはずなのに、いつのまにか開国になっている。それなのになんとなく成功している。だから「明治維新の思想」なるものはとくにない。この国には、そういう自然生成性や主体性のなさを肯定する風土があります。

また、「主体など虚構で、自然生成こそがものごとの本質なのではないか」という問題意識は、けっして日本特有のものでもありません。ヨーロッパ哲学でも深く考えていくと、やはりそういう思想にたどりつきます。有名なのは、20世紀を代表するドイツの哲学者、マルティン・ハイデガーですね。彼には「生起」という有名な概念があります。存在はなんとなく生成するのです。

日本哲学のジレンマ

日本でも、京都学派のひとたちはハイデガーがとても好きでした（ここではハイデガーの前期と後期の差異には立ち入りません）。京都学派とは、戦前、京都大学を中心に集まった思想家たちのグループです。東西文化の融合を目指しただけではなく、日本がその役割を積極的に担うべきだとして、「大東亜戦争」を思想的に肯定したことでも知られます。

彼らがハイデガーに近づいた理由はよくわかります。彼らはハイデガーに「日本的なもの」を見たのだと思います。ヨーロッパの哲学を勉強していると、ときどき日本の思想が逆に最先端に見えるという逆転が起こります。日本のほうがさきに「主体なんて存在しない。生成するだけだ」と言っていたじゃないか、というわけです。そういう思想はヨーロッパでは過去の哲学の批判になるのですが、日本だと逆に働いて、単なる自己肯定になり国家主義などと結びつくというジレンマがある。

　戦後の日本哲学はこのジレンマのなかで動けなくなりました。ヨーロッパ哲学だけ学んでいてもしかたない。とはいえ日本の伝統を加えてオリジナルなことをやろうとすると、京都学派の轍（てつ）を踏む可能性がある。

　そこでぼくは「訂正する」という考えかたを導入したい。訂正するとは、これまでも言ってきたように、とりあえずはいまの状況を受け入れるということです。過去を受け入れて、それを守っていく。

　けれども、よく見ると過去を守る行為には必ずズレが生じる。同じゲームをプレイしているつもりでも、ルールがいつのまにか変わっていく。しかし、どう変わっているかは当事者にもわからない。伝統を受け継ぐとはイコール伝統を変えるということだし、ゲームに参加するとはイコール規則に違反もしてしまうということで、そのルール違反がまたゲームを豊かに変えていったりもする。

こういう考えかたを取ることによって、「つぎつぎになりゆくいきほひ」の支配も前向きに再解釈することができるのではないか。単に過去の無責任に居なおるのでもなく、他方で過去を全否定するのでもない、第三の道が開けていくのではないか。「つぎつぎになりゆくいきほひ」の国だからこそ、過去を訂正しつつ、ゆっくりとまえに進んでいくことが大事だと考えればいいのではないか。

言うなれば、「つぎつぎになりゆくいきほひ」を、リベラルな観点から捉えなおしてみてはどうかというのが、この章の提案です。

作為と自然の対立を乗り越える

丸山眞男は「作為」と「自然」の対立について考えた思想家でもありました。

丸山は『日本政治思想史研究』という本（の第一論文）で、日本の近世思想を扱っています。20代のころの仕事で、戦前に書かれましたが戦後に出版されました。日本への儒学（朱子学）の導入がなぜ儒学とかけ離れた国学の誕生につながったのかを、伊藤仁斎が先行の学者を批判し、荻生徂徠が仁斎を批判し、本居宣長が徂徠を批判し……といった批判の連鎖として辿るという著作です。

ぼくはこの本が好きなのですが、そこであきらかにされているのは、ひとことで言えば、中国から哲学を輸入したはずの日本の思想界が、いろいろ議論を進めるなかで、最終的に中国哲学そのものの排除に行き着いてしまうという逆説です。

その逆説を象徴するのが、宣長が強調した「漢意」と「大和心」という対立です。一方に外国からやってきた作為（漢意）があり、他方に日本本来の自然生成性（大和心）がある。われわれは前者を捨てて、後者に戻らなければならない——。宣長はそう主張したわけですが、この構図には、日本思想がその後抱えることになった問題の雛形がはっきりと現れています。

それは狭義の思想の問題にかぎりません。たとえば漢意と大和心の対立は、いまではリベラル派と保守派の対立に引き継がれていると考えられます。

リベラルは外国の理論を使う。保守は日本を大切にする。いまではみなそういう対立を自明なものだと思っていて、リベラル派は日本の伝統に近づくことができません。まったく不自由ですが、それはじつは宣長がつくった対立でもあるのです。そして、丸山があきらかにしたのは、そんな対立そのものが、じつは近世思想の展開のなかでつくられた一種のフィクションだということです。

だとすれば、その対立を、訂正の概念を使って乗り越えることも可能なはずです。

多様性はゼロかイチかではない

日本の言論はとにかく不自由です。日本的なものを肯定しようとすると、無批判な現状肯定と結びついてしまう。

他方で現状肯定を避けようとすると、海外から「最新」の価値観をもってきて、ヨーロッパ「では」こうだと唱える「出羽守（でわのかみ）」になってしまう。その対立を抜け出すためには、訂正する力に頼るしかありません。

ひとつ具体例を挙げましょう。このところLGBTの話題が盛んです。しかしそこでの議論は不必要に混乱している。

２０２３年６月にはＬＧＢＴ理解増進法が可決されました。左派は規定が不十分だと批判しています。他方で右派は法律そのものが必要ないと反発している。彼らのなかには、「キリスト教文化圏のほうがよほど性的マイノリティを差別していた。日本にはそんな差別はなかった」と主張するひともいます。

これは不毛な対立です。たしかに日本には性的マイノリティを受け入れる一定の伝統があったでしょう。それをすべて差別と呼ぶのはしっくりこない。とはいえ現在の基準でマイノリティの人権が十分に認められていたかといったら、それも違う。

多様性はゼロかイチかの選択ではありません。結局のところ、それぞれの国の文化のなかで、伝統も残しながら、それをどうアップデートして未来につなげていくかという発想で進めるしかない。

ところが日本では、それがすぐに、ゼロかイチか、過去を否定するか肯定するか、リセットするかなにも変えないかの対立の議論になってしまう。少しでも動こうとすると両方の勢力から批判される。そういう風土を変えなければなりません。

日本独自の多様性とは

ＬＧＢＴをめぐる論争では、『ストップ!!ひばりくん！』というマンガがしばしば話題になりました。江口寿史（えぐちひさし）さんの１９８０年代前半の作品です。

主人公の大空ひばりというキャラクターは、女装した男の子です。作品のなかで主人公は差別を受けているのですが、同時にそういう視線を跳ね返してもいる。

こういう作品をどう解釈するか。保守派はこの作品を、日本では昔からクィアが活躍していた事例として読もうとする。他方でリベラル派の一部は、「ひばりちゃんは差別に苦しんでいた。そんな作品をコメディとして消費していたこと自体が人権意識の欠如だった」と言う。これは両方ともあまりに単純な読みかたのように思います。

そもそも娯楽作品は政治的なメッセージのためにつくられるものではありません。客観的に言えるのは、日本ではすでに１９８０年代前半に、ＬＧＢＴの人物を主人公とするマンガが広く読まれるようになっていたという事実だけです。

ぼくたちがすべきなのは、その事実を、これからの社会をＬＧＢＴのひとたちが生きやすいものに変えていくためにいかに使っていくべきかという、前向きの議論です。それが訂正する力の発想です。

日本のマンガ、アニメ、ゲームのなかには、性にかぎらず、欧米の娯楽にはない多様な表現が見られます。本書では深入りしませんが、そんな蓄積は日本をよくするために使えるはずです。

平田篤胤のポストモダン性

話を日本思想に戻します。最近読んで興味深かったのが平田篤胤（ひらたあつたね）です。篤胤は宣長より半世紀ほどあと、1776年に生まれた国学者です。

篤胤が活躍したのは文化文政の時代ですが、そのころになるとヨーロッパの情報がかなり入ってきています。篤胤はそれを知っていたらしく、『聖書』に出てくるアダムとエバは日本神話のイザナギとイザナミが西洋に伝わったものだといった主張を『霊の真柱（たまのみはしら）』という本で展開しています。

言うまでもなく、これはまったく荒唐無稽な話です。そもそも篤胤は国学のカルト化の起源として評判が悪い思想家です。いまの主張も要は「日本が全世界の中心だ」というもので、政治的には危険です。

けれどもそんな篤胤の「トンデモ神話」も、海外から新しい知識体系が入ってきたとき、単にそれを排除するのではなく、それに合わせて日本神話を「アップデート」しようとした試みと再解釈することができる。そこはおもしろい。篤胤は中国も排除していません。宣長は古事記に「道」はないと述べましたが、篤胤はそういうことは言わない。むしろ古事記の世界を孔子と連続させようとする。

篤胤の哲学は、いまの視点で見れば非常にポストモダン的です。さまざまな要素を組みあわせて「新しい日本」をつくり出していく。日本の思想にはそういう融合の伝統もある。

漱石の試み

もう少し政治的に穏当な例を挙げましょう。篤胤は天保(てんぽう)年間に亡くなりますが、それから四半世紀ほどのちに夏目漱石が生まれます。漱石は1867年、つまり明治維新の

1年前に生まれ、まだ漢学のような古風な教育を受けていた世代です。実際漢詩を巧みにつくる能力をもっていました。

そんな彼が、小説家として有名になるまえに書いた本に『文学論』というものがあります。留学から帰国したのち、東京帝国大学で文学を講義していたときの記録です。

この本を読むと、漱石がイギリスでいかに大きな衝撃を受けたのかがわかります。漱石は古文や漢文で育った。ところが西洋にはまったく異なった文学がある。どうしたら総合的に理解できるのか。そこで彼がやろうとしたのが、文学の普遍的な方程式を編み出すというアクロバットでした。

その試みはけっして成功していません。けれどもここで重要なのは、漱石がそこで「日本の文学はだめだからヨーロッパをまねよう」というのでも、「日本の文学は最高なのでヨーロッパは無視してよい」というのでもなく、双方の文学を融合し、新たに普遍的なものを創出していこうと試みていたことです。そういう構えが大切なのです。

保守思想をリベラル的に読み替える

そもそも前出の丸山眞男の『日本政治思想史研究』も、そのような試みだったと言うことができます。

ぼくがこの本を好きなことはすでに述べましたが、それはじつは、この本が、日本の近世思想の展開を、あたかもヨーロッパにおける思想の展開であるかのように記述しているからです。仁斎を批判する徂徠、徂徠を批判する宣長……といった批判の連鎖に注目することそのものがヨーロッパ的な発想ですし、ある考えかたをとことん詰めていくと逆になってしまうという論理もヘーゲル哲学的です。

だから、『日本政治思想史研究』の記述は、じつのところある種のフィクションなのかもしれません。実際、いまでは実証主義的な観点からの批判もあるようです。

けれども、ぼくはそのうえでもこの本を高く評価したいと思います。それは、この丸山の試みが、ともすれば無関係だと思われがちな近世思想と近代思想のあいだに橋をかけるものになっているからです。つまり、江戸時代の思想なんておれたちに関係ないよ、という明治以降の西洋かぶれの哲学者――ぼく自身も含めて――の見かたを訂正するものになっている。それこそが哲学の実践です。

そもそも忘れてはならないのは、丸山がこの論文を、まさに日本が日中戦争の泥沼に足を取られ、太平洋戦争に向かう時期に書いていたということです。その時期に「日本の近世にはヨーロッパと似た内的な展開があった」と指摘することは、ひとつの政治的なメッセージにほかならなかったはずです。

このような試みが現代にあまり引き継がれていないのは残念です。日本の伝統のなかに普遍的な価値が隠されているはずだという主張は、いまの時代にも重要な意義をもつはずです。それは狭量なナショナリズムに陥ることを意味しません。

言い換えれば、日本の保守思想はもっとリベラル的観点から読み替えてよいということです。保守派の知識とリベラル派の語彙(ごい)を組みあわせると、かなり豊かな思想が生まれてくるのではないかと思っています。

幻想をつくる力

訂正する力は、幻想をつくる力でもあります。過去の解釈を変え、現在につながるような新たな物語をつくる。そして未来に進んでいく。

このように言うと学者のかたから猛反発が来そうです。幻想をつくるとはなんだ、それは現実逃避でしかないではないか、やはり歴史修正主義の肯定ではないかと。

そうではないのです。ぼくたちはときに、深刻な現実に直面するためにこそ幻想を必要とするのです。現実だけ見ていればいい、エビデンスを並べれば物語など要らない、という主張のほうが現実逃避になることがあるのです。

ぼくがそのようなことを強く考えたのは、ウクライナ戦争がきっかけでした。戦争が始まって以来、平和について考えることが増えました。

平和とはいったいなんなのか。法学者の古谷修一氏は、2022年10月のインタビューで興味深い指摘をしています。

ウクライナ戦争では、SNSが活用され、個人の死や人権侵害がじかに世界中に発信されるようになりました。その結果、かえって平和を達成するのが難しくなったというのです。平和とは国家間の政治的な妥協でしかありえませんが、いまは多くの関係する個人が納得しないと妥協ができないからです。

記憶と平和の相剋

ぼくはこのインタビューを読んで、古代ギリシアのある出来事を思い出しました。古代ギリシアは、民主制を実現したすばらしい社会というイメージがあるかもしれません。けれども、実際は戦争だらけでした。とくに紀元前5世紀の末には、ペロポンネソス戦争の影響でアテナイ市内で大きな内乱が起き、社会はかなり混乱しました。その怨恨が残るかぎり、必ず内乱は再発する。

そのときどうしたかというと、ギリシア人は内乱の記憶を「忘れる」という決定を下したらしいのです。

むろん、実際には忘れたわけではありません。公的な場では忘れたふりをする、という約束事にすぎません。だからそれは幻想です。けれどもギリシア人は、そういう幻想がないと平和は達成されないと考えたわけです。

これはとても現代的な問題だと思います。現代では記憶することは絶対の正義だと考えられています。そして新しい情報技術がどんどん記憶を詳細で完璧なものにしていっている。遠い過去の小さな犯罪でも記録を呼び出せるようになってきている。その傾向はこれからどんどん強まっていくことでしょう。

けれども本当にそれが社会の安定や人々の幸せにつながるのか。

いまの良識に照らすと、このような問いがとんでもなく乱暴に響くのは承知しています。被害者の苦しみを見て見ぬふりをするのか、と非難されるでしょう。しかしそんな正論だけでは平和は来ないと、かつて先人たちが考えたことも事実です。

ぼくはここでも、ふたたび訂正する力の視点が有益だと考えます。平和をつくることは、「あの争いはじつは……だった」という一種のフィクションをつくることです。過去を記憶しつつ、過去を変えることです。まさに訂正です。

それは幻想かもしれない。けれども、いかなる幻想もなく、戦争の個々の出来事を検証し続けるならば、絶対に許せないことばかりに決まっています。それで平和がつくれなくなるのが、本当に正義なのか。あらためて考えてほしいと思います。

司馬遼太郎の業績

幻想と言えば、いわゆる司馬史観と呼ばれるものがあります。作家の司馬遼太郎によって提示され、広く普及している歴史観のことです。ひとことで言えば「明治の日本はよかったが、昭和に入ってだめになった」という歴史観です。

その司馬が有名にした人物のひとりに、坂本竜馬がいます。竜馬の一般的なイメージは、対立する人間をなだめて結びつける平和主義者であり、開国主義者です。ところが今日では、これは司馬によって創作されたものだと指摘されています。

最近の研究によれば、竜馬は船中八策も書いていないし、亀山社中もつくっていないし、勝海舟と会って弟子になったという有名なエピソードも誇張ということになっているようです。ずいぶん違います。

となってくると、考えるべきは、なぜそんな竜馬のイメージがここまで広がったのかということです。

ぼくが推測するに、それは昭和の人々が、そこに彼ら自身の理想像を見出したからではないでしょうか。司馬が描いた竜馬は商人でもありました。海援隊を結成して物資を運び、貿易で利益を出して敵対勢力を結びつけ、平和を築いていく。それはまさに、武力を放棄し、経済力による平和の達成を夢見た戦後の理想に一致します。

司馬は、そういう人々の無意識を敏感に感じ取り、起源を維新の志士に求めるというアクロバットをやってのけたのではないか。竜馬がいることで、戦後日本の商業国家路線は、じつは明治維新のときに可能性として胚胎（はいたい）していたものだという歴史がつくられる。占領軍に押しつけられたものではなくなる。

その歴史は幻想ですが、単純に非難されるべきものではありません。司馬はそのような作業を通して、近代日本の自画像そのものをアップデートしようとしたのです。本書で言う訂正です。それはまさに昭和の日本人が必要としていたことでした。

過去と現在をつなげる力

何度も繰り返しますが、このような話がいまの学界で評判が悪いことは百も承知です。歴史は科学なんだ、フィクションは創作でやれと怒られることでしょう。

そのとおりなのですが、現実はもう少し複雑なはずだというのが本書の立場です。史料を実証的に検討していると主張する現代の歴史学者も、後世から振り返れば令和のイデオロギーに支配されているのかもしれません。

実際、いま述べたような坂本竜馬神話の解体が始まったのは21世紀に入ってからです。いまは「昭和期の物語を否定し解体していくべし」というパラダイムが強いので、みなエビデンスの名のもとにせっせとそういう研究をしている。でも数十年後にどうかはわかりません。学会の研究動向がいかに流行に左右されるかは、大学に所属している方々のほうがご存じでしょう。

だからぼくは、むしろ訂正しかないのだと主張するのです。永遠に正しい客観的な歴史記述などない。物語しかない。だれも物語からは脱出できない。できるのは、新しい発見をまえにしての「じつは……だった」の訂正でしかない。

そしてそういう訂正の行為もまた時代の影響を受ける。その点でそれも客観的にはなりえない。訂正は永遠に続く。

ぼく自身哲学をやっていますので、思想史家に近いところがあります。プラトンやルソーについて書くときは、それなりに当時の状況を調べたりはします。

けれども、彼らが本当になにを考えていたかは正直わからない。そもそもぼくは古代ギリシアや18世紀フランスの専門家ではないので、言葉すらちゃんと読めない。でもそんなことを言い出したら、哲学者はみな特定の時代の特定の言語の著作しか参照できないということになって、哲学という学問そのものが消滅してしまいます。だからもうわからないと割り切ってやるしかない。もちろん、専門家の著作と矛盾しないかたちで自分の解釈をつくるということには気をつけます。それでも結局は「自由に読む」ということでしかありません。

そのとき最終的に基準になるのは、過去の著作と現在の状況をどうつなげていくのかという問題でしかない。この視点がないと、哲学者の読みは本当に恣意的で自分勝手なものになってしまいますから。

でもそれはなんの客観性を保証するものでもない。それは覚悟してやるしかない。私たちは訂正を通してしか過去を把握できないのです。

明治維新は歴史の訂正だった

第1章で、日本にも訂正する力はあったはずだと述べました。そもそも明治維新が歴史を訂正した例だと考えられます。

明治維新はリセットではありません。王政復古なのですから。しかし単なる復古でもない。攘夷はいつのまにか開国になった。過去の全否定でもなければ全肯定でもない、第三の道を歩んで成功を収めたのが明治維新なのです。

なぜそんなことができたのか。当時の日本の最大の課題は、近代化を成し遂げ、植民地化を回避することでした。けれどもその目的をそのまま打ち出すと保守派から反発される。そこでもち出されたのが「天皇の時代への回帰」という一種のフィクションだったわけです。

国民皆兵の導入がその一例です。国民皆兵は近代国民国家の考えかたです。江戸期に兵役と無縁だった大多数の日本人にとって、これほど重い義務を求められることは受け入れがたいものだった。

そこで神武天皇の故事が引きあいに出されました。神武天皇はみずから民を率いて反乱軍と戦った、その時代から民には天皇の兵士となる義務があったと語られたのです。この説明は1882年の軍人勅諭に書かれています。中世から近世にかけてが例外で、いまこそ日本は本来の姿に戻ろうとしているのだというわけです。

明治維新の担い手はこのようにして、明治の国づくりは、ヨーロッパの模倣ではなく、古代の日本を取り戻すものだという幻想をつくり上げていった。明治維新は英語では革命（レボリューション）ではなく復古（レストレーション）と訳されました。ぼくは第2章で、政治運動が成功するためにはリセットではなく訂正が大事なのだと述べました。明治維新はまさにその巨大な成功例です。伝統を守ることは変えることで、伝統を変えることは守ることだという訂正の逆説を、じつにうまく使っています。

象徴天皇制こそが歴史的？

もうひとつ例を挙げておきます。敗戦後に日本国憲法が制定された際、天皇は以前の「統治権の総攬者（そうらんしゃ）」から「国民統合の象徴」へ位置づけを変えられました。これは伝統が断ち切られたかのように思えます。

　ところが哲学者の和辻哲郎はそうは単純に考えませんでした。彼は１９４８年に『国民統合の象徴』という本を出版して、日本では天皇はもともと権力者というよりも権威であり、象徴だったという議論を展開しています。むしろ、天皇が実際に権力者になった明治時代の体制のほうがイレギュラーだったと言うのです。

　和辻のこの主張は明治の訂正の逆転と言えます。明治維新では、天皇親政の古代こそが日本の本体だと考えられた。和辻はそれを反転させ、天皇が実権をもっていなかった時期こそが本体だと主張しているのですから。

　保守派の政治学者の坂本多加雄も、１９９５年の『象徴天皇制度と日本の来歴』という本で似た視点から天皇制について議論しています。タイトルが示すように、この著作は日本史に新しい物語を与えようという意図で書かれたものです。そこでは戦後生まれた象徴天皇制が、むしろ伝統的なものとして再発見される。坂本は「新しい歴史教科書をつくる会」の理事も務めました。

　いずれにせよ、重要なのはなんらかのかたちで現在と過去をつなげることです。その点ではいまは保守派のほうが努力している。リベラル派は過去につながる物語をつくっていない。

かつて左派は天皇制廃止を訴えていました。ところが平成が進むにつれて国民の天皇制への感情は大きく変わり、いまでは左派で天皇制廃止を訴えるひとはほとんどいません。

それどころか、平成末期には、天皇のほうが政権よりもリベラルなので、むしろ安倍政権の暴走を天皇に止めてもらおうなどと言い出す言論人さえ現れました。しかしそれならば、リベラル派から見た天皇論をきちんと展開するべきです。それは「日本」というアイデンティティをどう捉えるかということでもある。そのような議論を避けているかぎり、リベラル派が広く市民の支持を集めることは難しいでしょう。

「昔から民主主義があった」とは言えない

訂正する力は、過去を現在につなげる力です。とはいえ、むろんなんでもつなげればいいというわけではありません。誤解を与えたくないので、うまく訂正が機能していない例も挙げておきます。

保守派が好む主張に「日本には昔から民主主義があった」というものがあります。戦後の改革以前に、五箇条の御誓文や大正デモクラシーなどがあったというものです。下手をすると「和を以て貴しとなす」の十七条憲法までもち出されたりする。

ぼくはこの物語はうまくないと思います。民主主義は英語ではデモクラシーです。これは語源としては古代ギリシア語の「デモス」（民衆）と「クラティア」（支配）に分かれる言葉です。つまり、民主主義とはまずは民衆が統治することを意味するのであって、それが基本です。

五箇条の御誓文を読んでも、民衆の統治ということは書いていません。有名な「万機公論に決すべし」は、要はいろいろ有能な人間を集めて、彼らの話を聞いて政府を運営すべしということです。統治者が貴族だけではなく、下級武士の意見も聞きますよということにすぎません。

国民こそが国の本体であり、人民の意志こそが国を統治するという発想はない。一般市民こそが国の主人公なのだという思想が広がったのは、やはり戦後になってからではないでしょうか。

日本は民主主義の怖さに直面していない

ちなみにこの点では、日本には民主主義の思想はいまだに根づいていないと思うことがあります。いま述べたように、「広く議論をすること」と民主主義は歴史的起源としては一致しません。「熟議民主主義」のように議論を重視する民主主義の思想もありますが、それは比較的新しいものです。しかしそれが理解されていない。

民主主義の本質は、人民が欲するとおりに国を動かすということであって、その意味ではじつに怖い思想です。ポピュリズムに直結しているし、人民の意志を代表するのが特定の党や独裁者ということになれば全体主義やファシズムを生み出すことにもなる。実際、ナチに協力したことで知られるドイツの法学者、カール・シュミットは、まさに民主主義の名のもとに独裁を肯定しています。

日本人は革命も共和政も経験していない。フランス革命もロシア革命もたいへんな犠牲を出した出来事ですが、日本ではどこか美化されている。

だから民主主義の理解不足はけっして保守派だけの問題ではありません。リベラル派もあまりに理想が強すぎるように思います。彼らは政権を批判するときに「民主主義」という言葉をじつに便利に使いますが、民主主義を「『お上』が民草（たみくさ）の知恵を吸い上げてなんとなくいい塩梅（あんばい）に采配してくれるもの」ぐらいに思っているのかなと感じることがあります。

民主主義はすばらしい。けれども同時に怖いものでもある。なぜならば、民意はまちがうし暴走するからです。この両義性を理解することが重要です。二院制にしても三権分立にしても、まさにそのような暴走を防ぐためにつくられたものです。

だからこそ本書では、リセットは危険で、保守的に見えても過去の訂正のほうがいいのだと主張しているのです。「民主主義はこれだ」と叫ぶだけで正しい社会が生まれるという考えは、あまりに幼稚です。

あまりに抽象的な左右対立

平和と幻想の話に戻りましょう。幻想は現実逃避ではない、現実を支えるために必要なときがある、その幻想をつくるのが訂正する力だという話でした。

　実際、戦後の平和主義は一種の方便でした。武力の放棄を約束することで国際社会への復帰を達成する。そして経済成長に集中する。でも現実はアメリカの核の傘に守られている。いいか悪いかはともかく、そのことは右も左もわかっていた。そのリアリズムを支えたのが戦争の記憶だった。ところが１９８０年代ぐらいから、平和と護憲さえ唱えていればよいという若い世代が現れてきます。

　そのあたりから議論が硬直してきた。保守派はそんな左派に反発して「自虐史観」と言い出した。他方でリベラル派もその動きに対抗し、ますます頑(かたく)なになっていった。いまでは憲法9条は左派の聖典のようになっていますが、「九条の会」ができたのはじつは21世紀に入ってのことです。１９９０年代までは、リベラル側からも改憲の議論がありました。自衛隊が現実に存在するのだから、ある意味で当然です。

　結果として、いまの日本では政治的な議論が異様に抽象的になっています。戦争責任にしても、日本は絶対悪で永遠に謝るべきだという左派と、日本は悪くないという右派の対立になっている。

現実的に考えればどちらかというのはありえなくて、日本はひどいことをやったのだからそこは謝るべきだけど、あまりにも謝罪相手が無理な要求を掲げてくるならば撥ね除けるべきだという話にしかならない。でもそういう議論ができない。

加害の記憶が消えている

少し話が逸れますが、このように議論が抽象化してしまったのは、やはり戦争の記憶の風化が大きいと思います。かつて著作を書くために、日本陸軍の研究機関で、悪名高い人体実験で知られる七三一部隊について調べたことがあります。

ネット右翼はすべて中国のでっちあげだと信じているようですが、日本でもかつては七三一部隊に関する本がたくさん出版されていました。現実に人体実験を行ったり、目撃したりしたという加害側の証言がかなり残っている。実名で顔を出している映像もあります。

ところがそのような情報発信が１９９０年代あたりから減っていきます。単純に証言者が亡くなり始めたからでしょうが、そのせいで陰謀論が跋扈してしまった。七三一部隊があった中国のハルビンに「侵華日軍第七三一部隊罪証陳列館」という博物館があります。取材で行ったことがあるのですが、皮肉なことに、日本の書籍やテレビ映像がたくさん展示されていました。日本人だけが忘れている。

村上春樹さんの小説『ねじまき鳥クロニクル』は、ノモンハン事件や日本軍の暴力が描かれることで有名ですが、刊行は1990年代なかばです。あれはギリギリのタイミングで書かれたのだなといまでは思います。

いずれにせよ、そのような忘却の結果、いまやあらゆる議論が抽象化してしまった。改憲か護憲か、軍国主義か反日か、歴史修正主義か自虐史観かといった空中戦ばかりをやるようになってしまった。日本の国是だったはずの「平和」という言葉もすっかり色褪せてしまいました。これはたいへんよくないことです。

戦争が悪であるということについては、日本では保守派もリベラル派も一致せざるをえないはずです。それは先の大戦での最大の教訓であり、被爆国として譲ってもいけないところだからです。

だから、ウクライナ戦争が起き、東アジア情勢も不安定になっているなか、平和の価値をきちんとまえに打ち出すことができないというのは、単に憲法の精神が毀損されているだけというのではない、大きく言えば日本の思想界全体の失敗です。

明治維新から敗戦まで77年、そして敗戦から今年（2023年）までは78年です。明治日本は、近代化を達成するために天皇親政という物語（国体）をつくった。それはある時期までは柔軟に運用されていたが、時代を経ることで硬直化し戦争に突入してしまった。同じように、戦後日本は、経済復興や国際復帰を達成するために平和国家という物語をつくった。これもある時期までは柔軟に運用されていたが、いまはすっかり硬直化している。そんなふうに整理できるでしょう。

平和主義の「訂正」をすべきだ

それゆえ、いま日本に求められるのは平和主義の「訂正」だと思います。戦後日本の平和主義を受け継いだうえで、内実を変えて未来に引き継ぐ。そのために訂正する力を使う。最後にそういう提案をして本書を終えたいと思います。

経済学者の小泉信三が1952年に出版した『平和論』という小さな本があります。

慶應義塾の塾長で、上皇の皇太子時代に教育係も務めた人物です。

この本には、日本がサンフランシスコ平和条約の是非で揺れているときに書かれた論考が収められています。当時問題になっていたのは、全面講和か単独講和かでした。単独講和とは、ソ連など社会主義国を除いて条約に調印することで、それを認めることは日米安保条約を認めることを意味します。丸山眞男をはじめ多くの知識人は全面講和を主張していました。そのような状況のなか、同書は単独講和を支持する立場から書かれています。

いまふうに言えば小泉はリアリズムの立場だったわけですが、かといってむろん戦争肯定だったわけではありません。

小泉は戦争は「好機会」を与えることで生じると述べています。当時は朝鮮戦争が起きたばかりでした。開戦時、米軍は半島に小さな戦力しか駐留させておらず、韓国軍も未整備で、その状況が北朝鮮の南侵を招きました。それゆえ、平和を維持するためには、まずは相手につけ込む機会を与えないことが大事で、アメリカとの同盟は不可欠だというわけです。

平和を守るためには隙を見せてはならない。これをふつうに解釈すれば、反戦平和を掲げるだけではだめで、軍備こそ必要だという話になります。

実際それが小泉が言いたかったことで、この指摘はいまでも通用します。左派はよく「軍備拡張は隣国への挑発になってしまう」論を主張しますが、これはあまり説得力がありません。攻撃をしかけても大丈夫となったら攻撃をしかけてしまう、それが人間というものです。

軍備増強と平和外交は矛盾しない

けれども、この「機会が重要」論は別のかたちにも展開することができます。機会を与えるとは、言い換えれば「誘惑する」ということでもあるからです。

わかりやすい例で言えば、家を開けっぱなしにして貴重品を見えるところに置く。そうしたら盗ろうというひとも出てくる。だから扉に鍵をかけるべきだ、警備員を雇うべきだというのが小泉の議論です。それはそれで進めるべきです。

でも別の回避のしかたもある。いくら目のまえに財布が置いてあっても、友人のものならば盗らない。そういう関係をつくることも誘惑の回避になります。

つまり、軍備増強と平和外交は矛盾しないはずだということです。さらに言えば、小泉は想定もしていなかったでしょうが、いまのような観光とコンテンツの時代だからこそ可能な市民間の交流の効果もある。いかなる政府も国民の感情を完全には無視できません。仮想敵国のなかに、日本人と会ったことのあるひと、日本のコンテンツを見ているひとを増やせば、それだけ日本を理不尽に侵略する可能性は減るはずです。

右派が軍備増強を唱え、左派が平和外交を主張する。例によってゼロかイチかの対立になっていますが、本当は二者択一ではありません。どっちもできる。

目的は「日本を侵略したいと思わせない」こと。そのためには、一方でにらみを利かせながら、他方で日本のファンを増やせばいい。アニメやゲームをどんどん輸出し、世界中からどんどん観光客を招けばいい。それも一種のリアリズムだと思います。

実際、アメリカはそのようにして安全保障を確保しているのではないでしょうか。アメリカほど憎まれ、しかし同時に愛されている国はありません。

まだＳＥＡＬＤｓに影響力があったとき、ある学生が「戦争になったらおれたちは酒を酌み交わして乗り切るんだ」と発言し、ネットでさんざん叩かれたことがありました。たしかに戦争になったら酒を飲んでいる場合ではない。とはいえ、平時に酒を酌み交わす関係が増えていれば、多少は戦争の可能性は減るかもしれない。そういう話だと理解すればいいと思います。

むろんそれでもだめな場合はある。ウクライナ戦争がまさにその典型例です。ロシアとウクライナは文化的に近い。つながりはとても親密です。それなのに戦争が起きた。だから観光や文化交流はけっして万能ではない。それでも回路は閉ざすべきではありません。

平和とは喧騒のことである

ぼくはここに平和主義の訂正のひとつの方向性があると考えています。戦後日本の平和主義を観光や文化戦略と結びつける。平和の概念を拡張し、過去を再解釈して、「日本は昔から平和を目指した国だった」という新しい物語をつくる。

日本はそもそも文化が売りの国です。アニメやゲームだけではありません。能、歌舞伎、浮世絵、平安文学に鎌倉仏教、神社仏閣、民俗芸能、さらには「ゲイシャ」「ニンジャ」……高尚なものからキッチュなものまで、驚くほど分厚い固有の美学の伝統をもっている。そのような文化的な豊かさ全体を「平和」に結びつけることができるのではないか。

第3章でトクヴィルの『アメリカのデモクラシー』という本に触れました。彼は民主主義の精神とは喧騒のことだと考えた。アメリカでは、とにかくいろんな人間がいていろんなことをしゃべっている。出版の自由も結社の自由も保証されているから、みんな好き勝手にやっている。そこがいいのだと。

さきほどは紹介しなかったのですが、じつはそこでトクヴィルは何回か禁酒同盟の存在に触れています。むろん結社の多くは政治的なものなのですが、なかには「酒を飲まない」といった綱領を掲げているものもある。しかもかなり広がっている。トクヴィルはその現象に興味を引かれたようです。飲酒の是非という趣味嗜好までが、アメリカでは結社をつくり、世に訴える対象になっている。

ぼくはこれはかなり重要な指摘だと思います。飲酒の是非なんてシリアスな政治からすればどうでもいい。しかしそれがアメリカでは重要な話題になっている。だから社会は喧騒に満ちている。それが民主主義を支える。

いささか議論が飛躍するのですが、ぼくはこの指摘をここまでの議論とつなげたいと思うのです。トクヴィルは、喧騒が民主主義を支えると言いました。しかしそれは要は平和が民主主義を支えるということではないでしょうか。

平和とは喧騒があるということです。平和でなければ禁酒同盟も生まれません。そしてその喧騒の正体は、社会が政治に完全に支配されていないことにある。政治とは無関係な話題でも大騒ぎできることにある。

平和とは政治が欠如していること

さきほど名前をあげたドイツの法学者、シュミットの有名な定義にしたがえば、政治の本質は「友」と「敵」を明確に分けることにあります。

それが全面化するのが戦争です。戦争が起こったら、生活はすべて友と敵の分割のなかに呑み込まれます。だれもが「味方か敵か」の二者択一で評価され、些細な異論や生活上の独自の判断も利敵行為として批判されます。その怖さの一端はコロナ禍でも見えました。戦争はまさに政治の延長なのです。

では平和とはなんでしょうか。平和とは戦争の欠如です。つまり政治の欠如です。政治とは関わらない、友と敵の対立に呑み込まれない活動をたくさん展開できる。それが平和の本質なのではないかと思います。

平和とは政治の欠如などと言ったら、また識者のみなさんに怒られそうです（この本では怒られてばかりですが）。左派の理論家のなかには、人間の行為のすべてが政治的だと言いたがるひともいます。個人的なものこそ政治的だ、というのは学生運動やフェミニズムのスローガンでした。

言いたいことはわかるのですが、かといってなにもかも政治だというのは政治という言葉を拡大解釈しすぎだと思います。あらゆる行為が政治であるならば、逆に政治という言葉の意味が消えてしまう。

ぼくはむしろ、政治が政治であるのは、その外側に政治ではない領域があるからだと考えます。たとえば日常の生活で家族や友人と会話を交わすとき、ふつうはスポーツや音楽の話で喧嘩にはなりません。どんなチームが好きか、どんなミュージシャンが好きかという判断は、政治性を帯びずに語りあうことができる。裏返せば、それができなくなったときは社会が政治的緊張に満ちているときです。

みなが好みを自由に語り、政治と関係なく価値観を表現できる。それが平和な日常です。

脱政治的な国、日本

そしてぼくは、戦後日本は、まさにそのような意味での平和的な活動、すなわち「脱政治的な活動」の領域がとても豊かだった国だと思うのです。

その性格はさまざまな点で指摘できますが、もっともわかりやすいのは「オタク」と呼ばれる人々の出現です。社会に関心をもたず、虚構の世界に耽溺（たんでき）する。マンガやアニメの話だけで友人関係をつくる。

オタク文化のそのような性格は、欧米のサブカルチャーとかなり異なります。欧米では若者文化は階級や人種の問題と密接に結びついている。音楽にせよファッションにせよ政治と不可分でしかいられない。

それに比べて、オタクはまったく現実に関心がないように見える。少なくとも、ある時期までのオタクはそのような存在だとみなされていました。近年は格差やジェンダー、安全保障などについて発言する人々も多いですが、政治的なメッセージを含む作品はいまでも例外的です。その特徴はふつうは否定的に語られますが、ぼくはむしろ、そんな脱政治的な生きかたがかくも広がっていたということ、それこそが逆にいかに日本が平和だったかを示していたと考えています。戦後日本は長いあいだ、政治の外側にたいへん豊かな「喧騒」の世界をつくり続けてきたわけです。

むろん、左派の方々は、そこにはさまざまなごまかしがあった、平和を享受できたのは国内のマジョリティだけだった、そもそも日本の平和は隣国の犠牲のうえに成立していたと指摘するでしょう。

それはそうです。しかし、たとえそうだとしても、とりあえずは国民の多くにそういう幻想を与えたことはひとつの成功だと捉えるべきではないでしょうか。

オタク的な感性と戦後民主主義の関係に早くから気がついていたひとのひとりが、批評家でまんが原作者の大塚英志さんです。彼は最近では左派的立場からの発言が多くなっていますが、もともとはイデオロギーの対立とは別のところで日本社会を見ていたひとです。大学で民俗学を学び、長いあいだサブカルチャーの現場で働いていました。オタクの消費活動にはある「倫理」が宿っているのだと、ある時期の大塚さんはよく語っていました。

ぼく自身も、かなりまえの著作になりますが、2001年の『動物化するポストモダン』という本で、オタク的な感性と脱政治性の関係について分析しています。興味のあるかたはそちらをご覧ください。

すべてが政治化してしまった

平和とは戦争の欠如である。政治の欠如である。政治と離れた喧騒に満たされていることである。

日本はもともと文化の国だった。政治と交わらない繊細な感性と独自の芸術をたくさん生み出す国だった。その伝統のうえに戦後日本がある。クールジャパンもある。だから日本は武力を放棄したという理由で平和国家なわけではない。そもそもそういう伝統をもっているからこそ平和国家なのだ――。

ぼくは戦後日本の平和主義をそんなふうに「訂正」してみたいと思うのですが、いかがでしょうか。納得できるひとも反発を覚えるひともいると思いますが、このような読み替えはいまの世界では重要な提言になると思います。なぜならば、いまは逆に、世界中で政治が文化を呑み込み始めている時代だからです。

たとえばツイッター。２００６年に始まったSNSですが、１４０文字という厳しい文字制限のせいもあって、最初のころはたわいもない挨拶や冗談を交わしあうだけの気軽なおしゃべりの場でした。

それが２０１０年代に入ると、大企業や行政機関の参入によって、だんだんとシリアスで政治的な場になっていく。２０１０年代の後半になると、トランプ元米大統領がツイッターを熱心に使ったこともあり、左右入り乱れて連日論戦が戦わされるような、じつに殺伐とした場に変わってしまいました。

ツイッターだけが変化したわけではありません。いまは芸能人もミュージシャンもアスリートも政治に無関心ではいられない時代です。有名人になると、だれもが政治的なメッセージを期待されるようになっています。

最近のハリウッド映画は驚くほど政治的な正しさに配慮しているし、大学人はつねにキャンセルカルチャーに怯えています。気候変動やらジェンダーやら人権やら、新たな政治問題が毎日のように更新されるというのに、「それについては答えたくありません」というのが許されず、保守なのかリベラルなのか、だれもがたえず試されているような時代になっています。

そんな時代だからこそ、平和とは政治の欠如であり、その欠如にこそ価値があると訴えてみたいのです。「つぎつぎになりゆくいきほひ」を、主体の欠如ではなく、政治の欠如（への志向）だと捉えることで、新しい日本＝平和論の可能性が拓けないでしょうか。

自然を作為する

本章のはじめで作為と自然の対立に触れました。作為と自然の対立は、政治と非政治の対立でもあります。丸山は近世思想をその対立で整理しましたが、最後に親鸞と日蓮について触れたいと思います。

親鸞と日蓮は、言うまでもなく鎌倉仏教を代表するふたりです。鎌倉仏教にはもうひとり道元という重要な人物がおり、また最近の研究では親鸞の画期性は近代に遡行的に発見されたものだとされているようですが、ここではそのふたりを対比させて日本思想の性格を図式化してみたいと思います。

親鸞は浄土真宗の開祖です。親鸞の師匠である法然はたいへん優秀なひとだったのですが、いろいろ考えたすえ念仏さえ唱えていればいいという境地に至ります。親鸞はそれをさらに徹底させて、阿弥陀仏さえ信じていれば悪人だろうとなんだろうと必ず救われる、だからむしろ救済を望む心さえ捨てよというたいへんラジカルな主張を展開した人物です。

その思想には一種のニヒリズムというか、いまのオタクふうに言えば「セカイ系」的な要素があります。「なにもしなくても、世界が滅びても、念仏さえ唱えていればワンチャン極楽浄土にいけるかも」というわけです。これは災害だらけの日本のような国ではとても魅力的な主張です。

他方で日蓮は親鸞より半世紀ほどあとの人物です。日蓮宗の開祖となりますが、その思想は親鸞とは対照的です。ひとことで言えば、彼は宗教の力で社会を変えようとする改革者で、カリスマ的な愛国者だった。自分だけ念仏で救われようなどとは考えなかった。『立正安国論』はときの幕府への提言書です。その世俗的な社会改革志向は、現在でも創価学会などに引き継がれています。

つまり、きわめて大雑把に言うならば、一方には「すべて諦めてなりゆきに任せるしかない」という親鸞的な思想（自然＝非政治の思想）があり、他方には「がんばって国を守るぞ」という日蓮的な思想（作為＝政治の思想）がある。そして両者が拮抗している。どうも日本は昔からそうなのです。漢意と大和心の対立も、宣長がつくったというよりも、それ以前からあった思想的対立の変奏だと考えたほうがいいかもしれません。

この対立に照らすならば、ここまで述べてきた新たな平和主義の構想は、じつは「作為的に自然をつくる」という立場にあたります。

平和は政治の欠如ですが、その政治の欠如そのものは政治にしかつくれません。平和をつくるのはむろん政治です。でもいったん平和になってしまえば、政治は見えないものにならねばならない。そして政治が見えないあいだだけが平和になる。だから平和における政治の欠如は、単なる欠如＝無秩序のことではありません。戦争と平和、政治と非政治、作為と自然、現実と幻想といったもろもろの対立を超え、「自然を作為する」という第三の立場に立たないと、本当の平和はつくれないのです。

そしてぼくがこの本で言い続けてきたことは、まさにそれこそが訂正する力の働きだということです。

過去を変えたのに変えたと思わせない力。ルールを変えたのに同じゲームが続いていると思わせる力。政治が続いているのに、消えたと思わせる力。それはつまり、作為があるのに自然のままだと思わせる力のことです。平和は訂正する力によってつくられるのです。

日本で人気のあるルソー

ずいぶんと風呂敷を広げてしまいました。最後の最後、風呂敷を畳むために哲学の話をさせてください。第3章で触れたルソーの話です。

じつは日本はルソーをたいへん高く評価し、熱心に受容してきた国です。『三酔人経綸問答（さんすいじんけいりんもんどう）』で知られる自由民権思想家の中江兆民（なかえちょうみん）は、明治初期に『社会契約論』をいちはやく翻訳しています。

やがて影響は社会思想から文学へと移り、島崎藤村をはじめ多くの自然主義作家が『告白』に影響を受けることになります。戦後も京都大学の桑原武夫を中心に多くの研究が行われています。１９７０年代末から80年代にかけて白水社から全集が出版されているのですが、その別巻には明治以降の日本におけるルソー研究の全リストなるものが掲載されていて、その分量に圧倒されます。

ルソーはなぜ日本で人気があるのでしょうか。ぼくはじつはその理由が、いま述べた「自然を作為する」という逆説にあるのではないかと考えています。

日本は「つぎつぎになりゆくいきほひ」の国です。だから、作品を作品として提示せず、「なんとなくできあがった」ものとして作為性を隠して提示する美学が発達しています。つまり「自然を作為する」の美学が発達しているのですが、ルソーはじつはまさにその逆説の美学を追求した作家だったのです。

なお、以下の説明は標準的なルソー解釈ではなく、かなりぼく独自の解釈が入っているので気をつけてください。興味をもったかたは前出の『訂正可能性の哲学』という本を読んでもらえると幸いです。

自然と社会、どっちを取るか

ルソーは、自然と社会のどちらかを選ぶのならば、自然のまま生きたほうがよいと考えた思想家でした。社会のなかで生きると堕落すると考えたわけです。

そんなものかなと思うかもしれませんが、社会思想家にとってはこれはじつはかなりの問題含みの立場です。

というのも、そのような前提に立つと、人間はなぜ社会をつくるのかが説明できなくなってしまうからです。ルソーに先行するホッブズやジョン・ロックといった思想家は、人間は自然のままだと争ってばかりでまずいことになる、だから「社会契約」を交わして暴力を抑制し、まともな社会をつくらなければならなくなったと説きました。これはたいへんわかりやすい説明です。

ところがルソーはその肝心の出発点で「人間は自然のままでもぜんぜん満足していて幸せに生きていて、争いも起きず問題がなかった」と主張しているので、そういうストレートな説明を展開することができないのです。ここからさまざまなねじれが発生します。

つまり、ルソーは、一方で社会契約が大切だと言いながら、他方では社会なんてないほうがいいと言い続けた、大きな矛盾を抱えた思想家だったのです。ルソーの理解は、最終的にこの矛盾をどう解釈するかに懸かっています。

ルソーは訂正のひとだった

そこでぼくが重視するのが、ルソーが『社会契約論』とほぼ同時に『新エロイーズ』という恋愛小説を書いていたという事実です。

じつはルソーは単なる哲学者ではなく、オペラを書いたり小説を書いたり多岐にわたる活動を展開した人物でした。そのなかでもこの『新エロイーズ』はとくに成功した作品で、当時たいへんに売れました。出版は1760年代ですが、19世紀にはドイツ文学や英文学にまで大きな影響を及ぼします。舞台となったレマン湖畔には、いまでいう「聖地巡礼」で読者が訪れるようにもなりました。

小説の中身には踏み込みませんが、ルソーはこの作品で、ひとことで言うと、「自然な恋愛を作為する」というテーマを追求しています。

恋愛は純粋でなくてはならない。自然でなくてはならない。真実でなくてはならない。小説はそのような理想を掲げて始まりますが、いろいろと障害があって主人公同士の自然な恋愛は成就が不可能になります。そのあと、いわば嘘の恋愛がやって来る。けれどもそれは完全に嘘なわけではない。「じつは……だった」の論理を用いて、真実の恋愛のほうが書き換えられる。ルソーはそんな変な物語を書いています。

ルソーの研究は文学系と政治思想系に大きく分かれます。『新エロイーズ』の内容は、ふつうは『社会契約論』を読む研究者のあいだでは話題になりません。あまり読まれていないと思います。

けれどもぼくは、この二冊は併せて読まれるべきだと考えています。ルソーは『社会契約論』で民主主義の原理を示した（正確にはルソーは民主主義について語っていたわけではないのですが、ふつうはそう理解されているのでここでもそれにしたがいます）。民主主義を作為できると主張した。

けれども本当はそれだけではだめだとわかっていた。民主主義を作為するという行為を、あたかもそれが作為でないかのように見せる、擬似的な自然環境をつくり上げなければならないことがわかっていた。だからその二冊をほぼ同時に出版したのではないかと思うのです。

つまり、ルソーは作為と自然を単純には対立させていなかった。対立を止揚する「自然を作為する」立場に立っていた。

それはルソーがなによりも「訂正する力のひと」だったことを意味しています。もうひとつ例を挙げておけば、ルソーは晩年『告白』という自伝を記しています。彼はそのなかで、自分の人生のすべてを透明に読者の目に晒す、なにも隠さないとなんども強調している。その率直さが後世の文学者に大きな影響を与えました。

けれども、ふつうに考えてそれはフィクションです。何十年もまえの無名の女性とのやりとりや金銭的なトラブルについて、そんなに詳細に覚えているわけがない。おそらくは多くがルソーの思い込みや創作だったことでしょう。けれどもそれでいい。なぜなら、それこそがまさに「じつは……だった」の実践だったからです。ルソーは言わば、自分の人生そのものを訂正しようとしたのです。

ルソーは訂正する力を文学史で最初にテーマにした思想家でした。そんな彼の哲学を積極的に受容してきた日本の近代には、なにかの直感があったのかもしれません。

極論が共存する国

2023年3月に亡くなった大江健三郎は、1994年のノーベル賞受賞スピーチで「あいまいな日本の私」という表現を使っています。「あいまいさ」とは両義的ということであり、ここまで述べてきた作為と自然の対立につながる話です。

日本は極端なものを共存させている国です。それは思想だけの話ではありません。たとえば日本の「美」といってもふたつの傾向がある。一方には、ブルーノ・タウトが好んだような、すごくスタイリッシュな、モダニズムに通じるミニマルな美学がある。建築家やファッションデザイナーはこちらが好きです。しかし他方で、歌舞伎からオタクやアイドル文化に至るような、カラフルでキッチュな美学も強い。そして両者が自由自在に使い分けられている。

これはいわゆる多様性とは違うのかもしれません。とはいえ、そこにもなんらかの可能性がある。それを思想的に展開すれば、すべてを「友」と「敵」に二分し、極論ばかりが戦いあう21世紀の世界に対して、ぼくたちは極論を共存させることに成功してきた、という前向きのメッセージを発することができるかもしれない。

縄文と弥生。朝廷と武士。攘夷と開国。明治と戦後。閉じることと開かれること。作為と自然。漢意と大和心。保守とリベラル。ふたつの極論の対立は何回も何回も繰り返される。そして両者を往復するかたちでアイデンティティが形成される。

日本はそういう意味では、すごくリベラルなようでいて本質は保守的だとも言えるし、逆にすごく保守的なようでいて本質はリベラルだとも言える。そういう土壌があるからこそ、かつて日本こそが東洋と西洋の融合という世界史的な使命を帯びているという議論も出てきた。もはや日本がアジアを代表する時代ではありませんが、哲学として提案できることはまだあるはずだと思います。

訂正する力はヨーロッパの哲学から導き出した概念です。しかしそれは日本の文化的なダイナミズムを表現する言葉でもある。日本はじつは「訂正できる国」だった。ひとつの正しさに向けて突っ走っているように見えて、たえずそれに自己ツッコミを向ける両義的な国だった。たえず政治を脱構築する国だった。

訂正する力の歴史を思い出すことが、失われた30年を乗り越え、この国を復活させるひとつのきっかけになる。これを本書の結論にしたいと思います。

本章のまとめ

この最終章では、前章までの議論を踏まえ、訂正する力を使って日本思想と日本文化をどのように批判的に継承していくべきかを論じました。

戦後日本を代表するリベラル派政治学者の丸山眞男は、作為と自然を対立させ、日本人は「つぎつぎになりゆくいきほひ」に巻き込まれるばかりで作為性＝主体性を発揮できない、そこが問題だと指摘しました。しかしそれでは、よく聞く「日本はもっと近代化すべきだ」論に陥ってしまいます。

本書ではそこで第三の道を提示します。「自然を作為する」という立場です。変化を変化として許容しながら、それでも一貫性を保つ立場です。そのような立場を生み出す力こそが訂正する力です。

この立場は平和主義の継承と密接に関わっています。平和とは戦争の欠如です。それは政治の欠如でもあります。しかしそのような政治の欠如もまた、結局は政治の力で生み出さねばなりません。ここに難しさがありますが、それこそがまさに「自然を作為する」ことです。

平和な国とは「喧騒に満ちた国」でもあります。訂正する力は喧騒の力でもあります。社会の全体がひとつの話題に支配されないこと。「友」と「敵」の分断に支配されないこと。いろいろなひとが政治的な立場と関係なく結びつき、いろいろなことを語り、極論が極論のまま共存し続け、いつも新たな参加者に対して開かれていること。日本には古来そのような喧騒を重んじる文化的な伝統がありました。

その伝統を活かし、世界に発信していくこと。訂正する力を取り戻すこと。平和を再定義すること。それが日本復活の道となります。

おわりに

本書は語り下ろしです。聞き手と構成は、近現代史研究家として活躍中の辻田真佐憲（つじたまさのり）さんにお願いしました。

辻田さんはゲンロン友の会の昔からの会員で、親しい友人でもあります。けれどもぼくとは政治的立場や関心領域が異なるので、いままでにない本ができるのではないかと期待してお願いしました。

結果は期待以上でした。辻田さんが引き出さなければ、ぼくが平田篤胤や司馬遼太郎について語る機会はなかったでしょう。本書は、ぼくのいままでのどの本ともまったく異なった、新しい東浩紀の本になっているのではないかと思います。ぼく自身が、この本によってまた新たに「訂正」されてしまったと感じます。

刊行にあたっては、辻田さんの構成を、ぼく自身の言葉でもういちどすべて語りなおしています。ですからいかにもぼくの本に見えると思いますが、議論の流れは辻田さんが組み上げたものです。本書の原稿修正は、辻田さんの作曲に合わせて歌詞を書いているかのような、奇妙な経験でした。

本書は広い読者に届くことを想定しています。とはいえ、執筆を終えてみると、本書がどのようなひとに届くのか、さっぱりわからなくなってもいます。本書ではいろいろなことが話題になっています。時事問題に触れていますし、日本の未来についても語っています。

それでも読者の顔が思い浮かばないのは、本書の構えが、いまの流行からあまりにも離れているからです。

本書は「訂正する力」を主題にしています。訂正する力とは「考える力」ということでもあります。本書は、なによりもみなさんに「考えるひと」になってもらいたいと思って書いています。

けれども、いまはそのような本は好まれません。市場を席巻しているのは「考えない」方法を説く言葉ばかりです。だから読者が見えないのです。

考えるとはとてもふしぎな行為です。考えたからいいことがあるとはかぎらない。むしろ考えると動けなくなる。まえに進めなくなる。それでも考えることは大事なはずだと本書では言い続けてきましたが、正直言ってそれが本当だという確信もありません。だって、世界には、なにも考えずに大成功しているひとがいくらでもいます。そっちのほうがどう考えてもよさそうです。

それでも、ぼくはなぜか、いまの世界には考えるひとがあまりにも少なく、それはまずいと感じてしまった。みなが「考えないで成功する」ための方法ばかりを求める国は、いつか破滅すると感じてしまった。そう危機感を抱いたこともまた、本書執筆のきっかけのひとつです。

本書の出版で、そんな危機感を共有できる仲間をひとりでも多く発見できたら嬉しく思います。

辻田さんから構成をもらった数日後に、マンガ家の浦沢直樹さんと対話をする機会がありました。そのとき浦沢さんが漏らした「ボブ・ディランも訂正のひとだったんだよ」という言葉は大きな勇気を与えてくれました。

ボブ・ディランと自分を、そして浦沢さんと自分を比較するつもりは毛頭ありませんが、ひとはだれでも、長いあいだ仕事をしていると自分自身を訂正する必要に迫られることがあります。そのことだけはぼくはわかっているつもりで、そのわかっていることが浦沢さんに伝わったことがとても光栄でした。

読者の顔が見えないと記したばかりですが、もし可能であれば、本書は、ものをつくっているひと、なにかひとつのことをやり続けているひとに手に取ってもらいたいと願っています。

ぼくは論壇では評判がよくありません。けれども、正義を振りかざしたり、議論に勝ったりするのが目的ではなく、なにかを世界に残したいひとであれば、ぼくの哲学は心にすんなりと入ってくるはずだと信じています。

本書の内容は、２０２３年8月にゲンロンから刊行した『訂正可能性の哲学』と深い関係にあります。哲学的な細部に興味をもたれたかたはそちらをご覧ください。

最後になりましたが、辻田さんと朝日新聞出版の池谷真吾さんに感謝します。

聞き手・構成／辻田真佐憲

図表作成／報図企

東　浩紀 あずま・ひろき
1971年生まれ。批評家。東京大学大学院博士課程修了。株式会社ゲンロン創業者。『存在論的、郵便的』(98年)でサントリー学芸賞、『クォンタム・ファミリーズ』(2009年)で三島由紀夫賞、『弱いつながり』(14年)で紀伊國屋じんぶん大賞、『観光客の哲学』(17年)で毎日出版文化賞を受賞。ほか主な著書に『動物化するポストモダン』『一般意志2.0』『ゆるく考える』『ゲンロン戦記』『訂正可能性の哲学』などがある。

朝日新書
926

訂正する力

2023年10月30日第1刷発行
2024年2月28日第7刷発行

著者　東　浩紀

発行者　宇都宮健太朗
カバーデザイン　アンスガー・フォルマー　田嶋佳子
印刷所　TOPPAN株式会社
発行所　朝日新聞出版
〒104-8011　東京都中央区築地5-3-2
電話　03-5541-8832（編集）
　　　03-5540-7793（販売）

Published in Japan by Asahi Shimbun Publications Inc.
ISBN 978-4-02-295238-7
定価はカバーに表示してあります。

落丁・乱丁の場合は弊社業務部(電話03-5540-7800)へご連絡ください。
送料弊社負担にてお取り替えいたします。

朝日新書

高校野球　名将の流儀
世界一の日本野球はこうして作られた

朝日新聞スポーツ部

WBC優勝で世界一を証明した日本野球。その「心・技・体」の基礎を築いた高校野球の名監督たちの哲学に迫る。村上宗隆、山田哲人など、WBC優勝メンバーへの教えも紹介。松井秀喜や投手時代のイチローなど、球界のレジェンドたちの貴重な高校時代も。

「深みのある人」がやっていること

齋藤　孝

老境に差し掛かるころには、人の「深み」の差は歴然と表れる。そして深みのある人は周囲から尊敬を集める。だが、そもそも深みとは何なのか。「あの人は深い」と言われる人が持つ考え方や習慣とは。深みの本質と出し方を、人気教授が解説。

天下人の攻城戦
15の城攻めに見る信長・秀吉・家康の智略

渡邊大門／編著

信長の本願寺攻め、秀吉の備中高松城水攻め、真田丸の攻防をはじめ、戦国期を代表する15の攻城戦を徹底解剖！「城攻め」から見えてくる3人の天下人の戦術・戦略とは？　最新の知見をもとに、第一線の研究者たちが合戦へと至る背景、戦後処理などを詳説する。

新しい戦前
この国の〝いま〟を読み解く

内田　樹
白井　聡

「新しい戦前」ともいわれる時代を〝知の巨人〟と〝気鋭の政治学者〟は、どのように捉えているのか。日本政治と暴力・テロ、防衛政策転換の落とし穴、米中対立やウクライナ戦争をめぐる日本社会の反応など、歴史の転換期とされるこの国の〝いま〟を考える。

動乱の日本戦国史
桶狭間の戦いから関ヶ原の戦いまで

呉座勇一

教科書や小説に描かれる戦国時代の合戦は疑ってかかるべし。信長の鉄砲三段撃ち（長篠の戦い）、家康の問鉄砲（関ヶ原の戦い）などは後世の捏造だ！ 戦国時代を象徴する六つの戦いについて、最新の研究結果を紹介し、その実態に迫る！

プア・ジャパン
気がつけば「貧困大国」

野口悠紀雄

かつて「ジャパン・アズ・ナンバーワン」とまで称されたわが国は大きく凋落し、購買力は1960年代のレベルまで下落した。経済大国から貧困大国に変貌しつつある日本経済の現状と復活策を、60年間世界をみつめた経済学の泰斗が明らかにする。

鵺（ぬえ）の政権
ドキュメント岸田官邸620日

朝日新聞政治部

朝日新聞大反響連載、待望の書籍化！ 岸田政権の最大の危うさは「状況追従主義」にある。ビジョンと熟慮に欠け求心力がない。稚拙な政策のツケはやがて国民に及ぶ。つかみどころのない〝鵺〟のような虚像の正体に迫る渾身のルポ。

よもだ俳人子規の艶

夏井いつき
奥田瑛二

34年の短い生涯で約2万5千もの俳句を残した正岡子規。中には遊里や遊女を詠んだ句も意外に多く、ユーモアや反骨精神、ダンディズムなどが味わえる。そんな子規俳句を縦横無尽に読み込む、松山・東京・道後にわたる全三夜の子規トーク！

人類滅亡2つのシナリオ
AIと遺伝子操作が悪用された未来

小川和也

急速に進化する、AIとゲノム編集技術。画期的な技術ゆえ、制度設計の不備に〝悪意〟が付け込めば、人類の未来は大きく暗転する。「デザイナーベビーの量産」、「〝超知能〟による支配」……。想定しうる最悪な未来と回避策を示す。

朝日新書

訂正する力
東　浩紀

日本にいま必要なのは「訂正する力」です。保守とリベラルの対話にも、成熟した国のありかたや老いを肯定するためにも、さらにはビジネスにおける組織論、日本の思想や歴史理解にも役立つ、隠れた力を解き明かします。デビュー30周年の決定版。

日本三大幕府を解剖する
鎌倉・室町・江戸幕府の特色と内幕
河合　敦

三大武家政権の誕生から崩壊までを徹底解説！　源頼朝・足利尊氏・徳川家康は、いかにして天皇権力と対峙し、幕府体制を確立させたのか？　歴史時代小説読者&大河ドラマファン、必読！　1冊で三大幕府がマスターできる、画期的な歴史新書!!

安倍晋三VS.日刊ゲンダイ
「強権政治」との10年戦争
小塚かおる

創刊以来「権力に媚びない」姿勢を貫いているというこの夕刊紙は、「安保法制」「モリ・カケ・桜」など第2次安倍政権の「大罪」に、どう立ち向かったか。同紙の第一編集局長が戦いの軌跡を公開し、徹底検証する。これが「歴史法廷」の最終報告書！

食料危機の未来年表
そして日本人が飢える日
高橋五郎

日本は食料自給率18%の「隠れ飢餓国」だった！　有事における穀物支配国の動向やサプライチェーンの分断、先進国の食料争奪戦など、日本の食料安全保障は深刻な危機に直面している。世界182か国の食料自給率を同一基準で算出し世界初公開。

脳を活かすスマホ術
スタンフォード哲学博士が教える知的活用法
星　友啓

スマホをどのように使えば脳に良いのか。〈インプット〉〈エンゲージメント〉〈ウェルビーイング〉〈モチベーション〉というスマホの4大長所を、ポジティブに活用するメソッドを紹介。アメリカの最新研究に基づく「脳のゴールデンタイム」をつくるスマホ術！